L'Art de peindre à l'huile

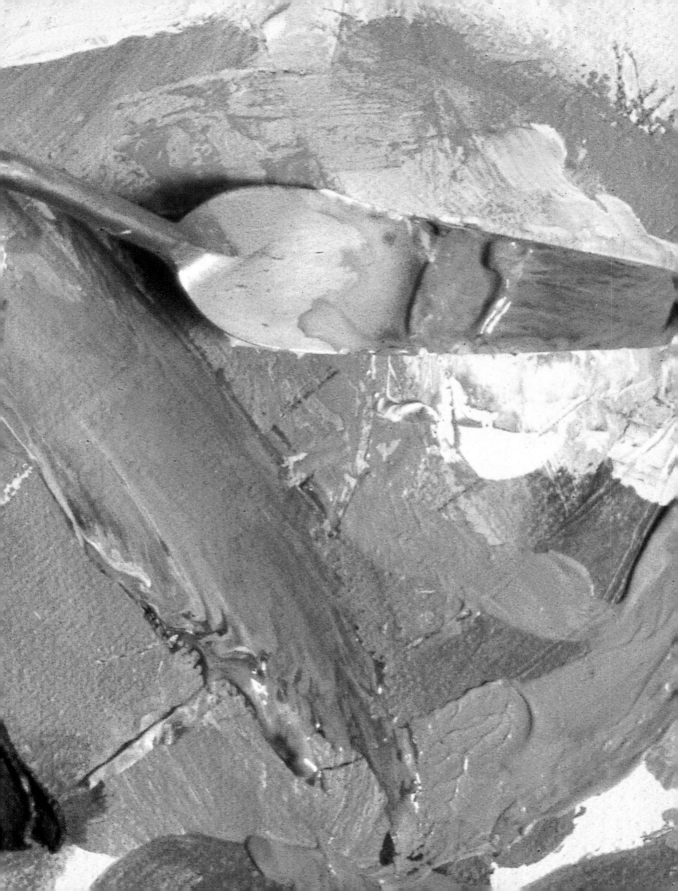

L'Art de peindre à l'huile

Patricia Monahan
Adaptation de Daniel Alibert-Kouraguine

Succès du Livre

SOMMAIRE

CHAPITRE UN

"UNE SI MERVEILLEUSE INVENTION..."

Aujourd'hui, alors que la peinture à l'huile joue un rôle si important dans l'éducation de notre regard, il est parfois difficile d'imaginer qu'elle n'est apparue qu'assez récemment dans le répertoire technique de l'artiste. Jusqu'au XVᵉ siècle, la peinture *a tempera*, ou détrempe, était la méthode la plus utilisée, et la manière de peindre des artistes était en grande partie dictée par ses limites. La détrempe était collante, difficile à manipuler, et séchait rapidement. Les artistes travaillaient à l'aide de pinceaux fins, et appliquaient la matière lentement et méthodiquement sur une petite surface, puis une autre. Malheureusement, on ne pouvait presque pas apporter de modifications au tableau une fois la couleur passée. Pour les artistes de la Renaissance, la nouvelle méthode de liaison des pigments à l'huile ouvrait de nouvelles portes. Les peintres pouvaient enfin travailler plus librement, appliquer des couleurs sur des zones importantes, mélanger les tons sur le support lui-même. Peu à peu, une nouvelle approche de la peinture et de la technique allait se développer, qui demeure la base de la peinture à l'huile actuelle.

A gauche. Portrait de Susanna Lunden, née Fourment, par Peter Paul Rubens (1577-1640), talentueux avocat de la nouvelle technique de la peinture à l'huile. Admiré pour la sûreté de son dessin et la virtuosité de son pinceau, son œuvre a influencé de nombreux artistes des générations suivantes.

Le médecin grec Aetius (VIᵉ siècle avant J.-C.) mentionne l'utilisation d'huiles dans la réalisation d'œuvres d'art, et décrit la façon dont elles durcissent pour former un film protecteur. Les doreurs connaissaient déjà cette caractéristique, puisqu'ils utilisaient l'huile de noix pour protéger leur travail. L'emploi d'une huile siccative en peinture est décrite pour la première fois par Theophilus Presbyter, dont l'ouvrage *De diversis artibus*, rédigé vers 1100, est la plus importante source d'information existant sur les arts et l'artisanat médiéval. On ne sait pas grand-chose sur cet auteur, qui était sans doute un moine bénédictin. Theophilus donne de nombreuses recettes pour préparer les couleurs à l'huile et les vernis, et conseille de broyer les pigments dans de l'huile de lin ou de noix. D'après ses écrits, la couleur était appliquée par couches successives, séchées au soleil. D'autres ouvrages des XIIIᵉ et XIVᵉ siècles révèlent que l'huile servait souvent à peindre des panneaux et des fresques, en tout cas en Europe du Nord.

L'Italien Giorgio Vasari (vers 1511-1574) attribue au peintre flamand Jan van Eyck (vers 1390-1441) l'invention de la peinture à l'huile. Peintre, architecte et écrivain, sa plus importante contribution à l'art de la peinture est un recueil de biographies d'artistes de son temps intitulé *Vies des plus illustres peintres, sculpteurs et architectes*, publiée pour la première fois en 1550. Il s'agit du récit pittoresque et peu objectif de la vie des artistes qu'il connaît personnellement ou de réputation, et dont il a vu des œuvres. Si cet agréable ouvrage doit être lu avec réserve, il n'en constitue pas moins un document fascinant. Selon sa version de la "découverte" de la peinture à l'huile par van Eyck, un panneau peint à la *tempera* aurait été verni à l'huile et, conformément à la tradition, mis à sécher au soleil. Un soleil si ardent que le bois s'était fendu, et que van Eyck s'était alors promis de trouver "un moyen de préparer un vernis qui puisse sécher à l'ombre, afin de ne pas exposer les tableaux au soleil". Trouvant que l'huile de lin et de noix répondait admirablement à cette préoccupation, il mélangea ce vernis à ses couleurs – selon Vasari –, découvrant que le procédé "éclairait les couleurs de façon si puissante qu'elles donnaient l'impression de briller de l'intérieur", sans avoir à appliquer une couche supplémentaire de vernis.

Avant van Eyck, diverses huiles avaient été utilisées pour peindre, mais il est incontestable que le maître flamand améliora les techniques de la peinture à l'huile, atteignant à une précision et à une luminosité surpassant ce qui avait été fait auparavant, et rarement dépassées depuis. Quinze ans après la mort du peintre, Bartolommeo Facio de La Spezia décrit celui-ci comme "un érudit dans ces arts qui ont contribué à l'exécution d'un tableau, crédité dans ce domaine de nombreuses découvertes sur les propriétés des couleurs, fondées sur des traditions anciennes citées par Pline et autres auteurs".

LA TECHNIQUE EN EUROPE DU NORD

Comme les autres maîtres anciens hollandais, Jan van Eyck peignait sur des panneaux de chêne préparés à la chaux blanche. Le fond était lié avec de la colle de peau. Vasari recommande d'appliquer "quatre ou cinq couches de la colle la plus lisse", suivies d'une couche d'*imprimatura* teintée, un apprêt. Le fond masque le grain du bois, et, lorsqu'il est poli, reflète la lumière, de sorte qu'elle joue un rôle important dans l'aspect final.

Les huiles exercent un effet optique particulier sur le pigment, le rendant translucide et lui conférant une apparence richement saturée. Les tableaux à l'huile de cette époque sont réalisés en deux étapes. La première consiste à appliquer une sous-couche opaque dans laquelle les formes sont modelées selon différents tons pâles de gris. Cette première "ébauche" est recouverte par des couches de glacis dans lesquelles le pigment pur est mélangé à une base huileuse brillante. Celles-ci laissent transparaître les formes dessinées initialement. La couche est plus fine dans les zones claires et plus épaisse dans les zones d'ombre pour moins réfléchir la lumière. La technique reste encore médiévale à de nombreux égards : la peinture est étalée par petites zones séparées, les pigments rarement mélangés, et les transitions de tonalités très subtilement mêlées.

L'ITALIE ET VENISE

En Italie, la peinture à l'huile met plus de temps à pénétrer qu'en Europe du Nord. Au sud des Alpes, la détrempe et l'huile s'utilisent ensemble, selon une technique mixte pratiquée jusque tard au XVIIᵉ siècle, et souvent à la manière méticuleuse typique des anciens tableaux à la *tempera*. Néanmoins, c'est sous les pinceaux des peintres italiens, en particulier vénitiens, que la peinture à l'huile acquiert ses lettres de noblesse. Antonello de Messine (vers 1430-1479) semble avoir découvert le secret de la peinture à l'huile lors d'un séjour dans les Flandres, et introduit ce nouveau procédé à Venise vers 1475. La technique est reprise par Giovanni Bellini (1430/40-1516) et d'autres artistes de l'époque. Bellini possède une remarquable perception des possibilités de ce nouveau médium, et s'en sert avec une liberté jusque-là inconnue. Son *Doge Leonardo Loredano* (Londres, National Gallery) est un exemple des premières tentatives d'*impasto* (peinture épaisse, appliquée par lourdes touches).

Giorgione (1477-1510) marque un autre tournant, à la fois dans l'histoire de la peinture vénitienne et dans celle de la technique à l'huile. Il travaille directement d'après nature, et Vasari considère qu'il a surpassé les frères Bellini, rivalisant avec les Toscans, qui "créent le style moderne". Très influencé par Léonard de Vinci (1452-1519), il cherche à imiter la manière dont celui-ci modèle ses formes par de subtiles transitions de couleur et de tonalité. L'œuvre de Giorgione se caractérise par un modelé délicat et soigné, des couleurs riches et évocatrices, et un intérêt pour le paysage pur.

Tiziano Vecellio (vers 1487-1576), le Titien, né à Cadore, petite ville des collines vénètes, est probablement le plus grand et le plus influent de tous les peintres vénitiens. Envoyé travailler, encore enfant, chez un dessinateur de mosaïques, il se forme par la suite auprès de Giovanni Bellini et de son frère, Gentile. Son œuvre est une synthèse des conquêtes des Bellini et de Giorgione, auxquelles il ajoute la vision et le génie qui lui sont propres. Dans ses premiers travaux, il utilise des couleurs fortes et pures, et peint souvent des silhouettes sombres sur un fond clair. Ses tableaux sont audacieux et imaginatifs, faisant appel à des compositions ambitieuses pour susciter des effets dramatiques.

Au cours de sa dernière période, le Titien revient aux vigoureux dessins de sa jeunesse, et commence à manier la couleur avec plus de liberté. Ses tableaux ne se contentent plus de copier avec précision le monde réel. En fait, une grande partie de sa puissance réside dans la façon dont il manie le pinceau, qui devient réellement un nouveau moyen d'expression. Les Vénitiens sont les premiers peintres à donner à voir les traits de pinceau, et à comprendre l'importance de la manière dont est appliquée la peinture sur la toile.

Epoux Arnolfini, par Jan van Eyck (actif de 1422 à 1441). C'est à van Eyck que l'on devrait l'invention de la peinture à l'huile. Il est indiscutable que cette technique nouvelle apparaît à son époque. Le maître appliquait sa matière par couches, commençant par un croquis détaillé, suivi d'une ébauche pâle et opaque, puis d'une série de couches translucides. Travaillant dans la tradition médiévale, c'est-à-dire avec une approche méticuleuse, il appliquait la matière par petites zones de couleurs dans lesquelles on ne discernait pas l'empreinte du pinceau.

MATÉRIELS ET MÉTHODES

D'après Vasari, la peinture à l'huile s'utilise alors sur le bois, les murs, la toile et la pierre. Les Vénitiens adoptent rapidement la toile, avec passion. Ils l'utilisent pour leurs peintures murales, car l'humidité de Venise provoque la détérioration rapide des fresques. La toile est légère, se roule pour le transport, et permet d'envisager des tableaux aux dimensions beaucoup plus importantes que les panneaux de bois. Le plâtre n'est pas utilisé pour le fond, à moins que la peinture ne soit destinée à demeurer *in situ*, car il risque de se fendiller et de tomber si la toile est roulée. Il est remplacé par une pâte de "farine et d'huile de noix, avec deux ou trois mesures de plomb blanc", appliquée au couteau sur la toile. Trois ou quatre couches sont nécessaires, ainsi qu'un apprêt final. Le dessin est réalisé sur ce fond, qui est ensuite imperméabilisé grâce à une fine couche d'huile.

Vasari décrit comment les artistes transfèrent leurs cartons, ou leurs dessins préliminaires, sur le support en utilisant une technique proche du papier carbone. Le dessin est réalisé sur une feuille de papier, puis une seconde feuille, couverte d'une substance noire sur une face, est placée entre lui et le support. L'artiste retrace alors les lignes du dessin avec un outil pointu, les transférant sur le panneau ou la toile.

Les pigments utilisés sont exactement les mêmes que ceux des peintres à la *tempera,* mais l'huile leur assure une meilleure saturation et augmente la gamme des effets possibles. La peinture peut être assez facilement rendue plus transparente ou plus opaque, ce qui permet à des peintres tel le Titien d'utiliser le procédé d'une manière entièrement nouvelle.

LE XVIIᵉ SIÈCLE

Une nouvelle avancée majeure dans l'histoire de la peinture à l'huile a lieu grâce à Rubens (1577-1640). Peter Paul Rubens naît à Siegen, en Westphalie, et apprend la peinture à Anvers. En 1600, à 23 ans, il part pour l'Italie, où il étudie d'après l'antique, et copie des œuvres de Michel-Ange (vers 1475-1564), du Titien, du Tintoret (vers 1518-1594) et du Corrège (vers 1489-1534). Malgré son séjour en Italie et l'influence de ce qu'il y découvre, il reste profondément flamand, dans la tradition de van Eyck, Rogier van der Weyden (vers 1399-1464) et Pieter Brueghel l'Ancien (vers 1525-1569). Par exemple, les peintres des Flandres ont toujours été fascinés par le contraste entre la fourrure et l'éclat métallique d'un gobelet. A la différence des Italiens, toujours à la recherche de la beauté, ils traitent la réalité telle qu'ils la voient, et ne se contentent pas de sujets convenus. C'est dans cette tradition qu'évolue Rubens, et, toute sa vie, il conservera la conviction fondamentale que la fonction de l'artiste est de décrire le monde qui l'entoure.

De retour à Anvers, en 1608, âgé de 31 ans, il a tout appris sur son art, et ne connaît aucun rival au nord des Alpes. Si ses prédécesseurs flamands ont surtout peint des tableaux de petit format, il revient à Anvers avec le goût des toiles énormes, comme à Venise, particulièrement adaptées à la décoration des églises et des palais. Elles plaisent à ses clients, et, en 1611, il est si célèbre que les élèves affluent dans son atelier, et qu'il doit en refuser un grand nombre. Ses assistants préparent ses tableaux, auxquels il apporte toujours la touche finale.

Plus encore que pour le Titien, son pinceau est réellement son instrument principal. Ses toiles ne sont plus des dessins soigneusement modelés et colorés, mais des explosions de couleurs et d'énergie qui exploitent et magnifient la qualité de la surface picturale.

Son œuvre se caractérise par des teintes brillantes, qui renvoient à l'évidence aux maîtres flamands, mais elle est également influencée par les œuvres tardives du Titien et du Tintoret. La manière dont il juxtapose les couleurs primaires et secondaires préfigure les peintres français du XIXᵉ siècle. Il travaille sur un fond blanc, avec un lavis gris léger, affinant son dessin linéaire et de tonalité par une ombre dorée, sur laquelle il applique des demi-tons froids et semi-opaques, qui permettent aux couches inférieures de rester visibles. Ces demi-tons lui fournissent une référence, en fonction de laquelle il travaille les autres couleurs : allant des demi-tons aux tons foncés, qu'il développe en couleurs fortes et variées, avant de revenir sur les couleurs légères et les détails, à la peinture opaque, il finit par des glacis transparents, qui unifient les zones de couleur.

Historiquement, la méthode de Rubens est décisive, car il connaît un succès considérable. Il possède un vaste atelier, et enseigne à de nombreux élèves et assistants qui diffusent son style. Les procédés qu'il met au point seront repris par des générations de peintres. Il influence à la fois Velásquez (1599-1660), qu'il rencontre

à Madrid, et le grand maître de la matière picturale qu'est Rembrandt (1606-1669). On retrouve son empreinte plus tardivement encore chez Eugène Delacroix (1798-1863), et, plus tard encore, chez Renoir (1841-1919).

LA CONTRIBUTION DE REMBRANDT

De tous les peintres de la période baroque, Rembrandt est sans doute l'héritier le plus manifeste du Titien. Il n'a laissé aucune esquisse préliminaire. Ses compositions, y compris la distribution de la lumière et de l'ombre, sont tracées sur une sous-couche monochrome par-dessus laquelle il applique ses couleurs à grands traits, de

La Mort d'Actéon, par le Titien (vers 1487-1576), est un exemple du style qu'il développe à sa maturité. La peinture est appliquée avec une vigueur et une liberté qui laisse l'empreinte du pinceau contribuer de façon importante à l'effet final. Le Titien fait contraster les zones de couleurs en variant le mode d'application de la peinture, du lavis fin aux empâtements épais.

l'arrière-plan au premier plan, laissant ses figures en silhouette monochrome jusqu'à une étape avancée. Il complète enfin par des rehauts, en empâtements rapides. Les peintres qui lui succèdent admirent les riches clairs-obscurs de son œuvre. Ce terme décrit l'équilibre de l'ombre et de la lumière dans un tableau, et s'utilise surtout pour le Caravage (1573-1610) et Rembrandt, dont les œuvres possèdent généralement des tonalités sombres. Malheureusement, le mot acquiert une signification idéologique au XIXᵉ siècle, et devient synonyme de certains idéaux académiques de beauté et de vérité. Pour Rembrandt lui-même, cependant, le concept de clair-obscur est purement descriptif.

Sa mise en scène subtile et descriptive de l'ombre et de la lumière, conjuguée à une palette saturée, dénotent une compréhension et un authentique plaisir de la couleur et de la matière picturale. Au milieu des années 1630, il a totalement abandonné la douceur conventionnelle de la peinture hollandaise, et travaille souvent certaines zones dans une couleur unique, qu'il recouvre ensuite de touches opaques ou de glacis. Dans certains cas, il utilise une brosse très chargée, et n'applique qu'une couche là où d'autres en passeraient cinq. Ses traits de pinceau deviennent lisibles, parfois même à distance. Plutôt que la reproduction exacte de la réalité, pratiquée par les artistes de moindre renom, il propose la suggestion, ce qui conduit certains contemporains à juger que ses tableaux sont inachevés. Rembrandt travaille par couches complexes, et la surface de la peinture traduit le plaisir purement sensuel qu'il éprouve au contact de la matière, à laquelle il donne une signification presque indépendante de l'image.

LES XVIIIᵉ ET XIXᵉ SIÈCLES

Au milieu du XVIIᵉ siècle, la France devient la capitale artistique du monde, et l'Académie de peinture et de sculpture, fondée en 1648, se préoccupe d'imposer des critères artistiques moraux et esthétiques. Jusqu'à la fin du XIXᵉ siècle, elle va exercer un contrôle rigoureux sur les artistes, et la plupart des grands mouvements créatifs se développeront à l'écart. L'enseignement artistique est sévère, et strictement surveillé. Les étudiants doivent prouver leur talent de dessinateur avant d'aborder la peinture, et ne peuvent travailler sur modèle vivant qu'après avoir copié les maîtres anciens. La technique

de peinture est définie avec précision. On commence par l'ébauche, avec une peinture diluée pour marquer les grandes lignes, les masses les plus importantes et les demi-tons. Puis on prépare sa palette, essentiellement avec des couleurs de terre, plus un bleu de Prusse, du noir et du blanc de plomb. Les contours sont d'abord tracés au fusain, avant d'être accentués par une mince couche de couleur de terre transparente – qui sert ensuite à préciser les ombres – étalée avec un large pinceau en soies de porc. Les rehauts sont réalisés avec une matière plus épaisse, et on porte une grande attention aux demi-teintes et aux transitions entre les tons. L'artiste cherche à obtenir une illusion convaincante de la forme dans l'espace par un traité délicat et subtil des changements de tonalité. Les rehauts épais contrastent avec les ombres plates, ce qui confère à la matière picturale un relief imitant celui de la forme.

A la fin du XVIIIᵉ siècle, de nombreux peintres commencent à trouver cette technique trop contraignante. Thomas Gainsborough (1727-1788), Francisco Goya (1746-1828), John Constable (1776-1837) et J. M. W. Turner (1775-1851), par exemple, recherchent une approche plus directe. Leurs techniques, qui tentent de travailler les taches de couleur telles qu'elles doivent apparaître (une méthode appelée aujourd'hui *alla prima*), plutôt que de construire couche par couche, ne sont pas nouvelles, mais leur liberté dans l'application de la matière et la façon dont ils manient le pinceau l'est. La fraîcheur obtenue par ces techniques s'observe en particulier dans les esquisses de Constable et de Turner, peintes directement d'après nature. Elles exerceront une influence considérable sur les impressionnistes français.

Turner, l'un des peintres les plus inventifs de son temps, est fasciné par la science, et étudie avec passion la théorie des couleurs et de la lumière. Dans ses premières œuvres, il applique des fonds sombres et chauds, qui deviendront plus pâles par la suite. Les tableaux de sa maturité sont généralement exécutés sur un fond blanc, qui met en valeur et enrichit l'éclat de sa palette. Il réalise une ébauche très sommaire, avec des couleurs pâles et détrempées à la place des tons monochromatiques habituels. Les roses, bleus et jaunes qui prédominent dessinent non seulement la composition, mais créent une atmosphère qui affecte les couches picturales

Automne à Argenteuil, par Claude Monet (1840-1926). Peint en 1873, ce tableau illustre le goût de l'artiste pour les effets changeants de la lumière sur le paysage. Monet travaillait souvent en extérieur, mais achevait rarement ses toiles en une seule séance, car la lumière changeait avant qu'il ait terminé. Les grandes lignes du sujet étaient grossièrement esquissées au moyen de couleurs opaques diluées, sur lesquelles il posait des empâtements épais et gras, composant un réseau complexe de couleurs et de textures.

suivantes. Les nombreux effets de couleur de Turner proviennent des couches de peinture superposées sur la toile plutôt que d'un mélange obtenu sur la palette. Il utilise à la fois le frottis – technique consistant à travailler la peinture opaque par-dessus une couche de couleur différente – et le glacis, et applique la peinture avec une grande liberté, en fins lavis ou empâtements épais, grattés et abrasés.

PROGRÈS TECHNIQUES

Au XVIIIᵉ siècle, les coloristes professionnels livrent déjà des couleurs à l'huile préparées dans des vessies de peau, qui permettent enfin aux peintres de travailler en extérieur. Quelques artistes et historiens d'art regrettent alors l'abandon du contrôle de la matière picturale, mais la gamme de plus en plus variée de couleurs préparées, faciles à utiliser et à trouver, favorise des techniques de peinture plus directes et de nouvelles manières de travailler. Les vessies sont remplacées par des cylindres métalliques, vidés au moyen d'un piston, puis retournés au fournisseur pour être remplis. Le tube de métal souple fermé par un bouchon à vis fait son apparition dans les années 1830, et la fabrication de la peinture quitte alors l'atelier pour l'usine.

La nature de la peinture se modifie avec ces nouveaux conteneurs, qui requièrent une matière plus épaisse, et de nombreux additifs sont désormais mélangés aux huiles pour stabiliser les pigments en suspension. Cette évolution affecte l'utilisation de la peinture : les artistes utilisent alors des pinceaux plus courts, plus raides, et des diluants telle l'essence de thérébentine. Il est plus facile de peindre hors de l'atelier, et les artistes, libérés de l'obligation de mélanger les couleurs, sont encouragés à utiliser une gamme toujours plus riche.

1869 est généralement considérée comme l'année charnière de l'histoire de l'impressionnisme. Cet été-là, Claude Monet (1840-1926) et Renoir travaillent côte à côte sur les bords de la Seine, à La Grenouillère, l'un des nouveaux lieux de détente et de loisir de la banlieue parisienne.

Avec leurs chevalets portables et leurs boîtes de couleurs, ils réalisent des études rapides d'un pinceau très libre, et tentent de capter les effets instantanés de la lumière sur le paysage. Si leurs méthodes et leur palette évoluent considérablement au cours de la décennie suivante, ils viennent néanmoins de jeter les bases des nouvelles techniques impressionnistes. Ces nouveaux peintres veulent apprendre à "voir" le monde de la nature selon leur propre perception plutôt qu'à travers le regard artificiel de la peinture européenne, et, pour ce faire, rejettent les conventions académiques de la ligne et du clair-obscur.

Non seulement les impressionnistes modifient radicalement le regard des artistes, mais ils mettent au point des méthodes de travail de la peinture assez nouvelles. Les glacis et frottis finement appliqués, élaborés couche après couche, sont rejetés au profit d'épaisses couleurs opaques posées en riches empâtements à la brosse ou au couteau.

La principale caractéristique de ces peintres, dont Claude Monet, Camille Pissarro (1831-1903) et Alfred Sisley (1839-1899), est leur sens de la répartition des couleurs. Les applications ou touches de couleurs opaques sont déposées côte à côte pour se fondre dans la couleur recherchée, qui est alors perçue à distance par le spectateur. Pour les impressionnistes, il s'agit d'atteindre à un effet naturaliste authentique, par l'analyse exacte des tons et des couleurs, et d'essayer de décrire la manière dont la lumière joue sur les surfaces, en modifiant aussi bien les zones claires que foncées. Ils pressentent que la palette classique et les techniques traditionnelles ne peuvent capter la lumière naturelle.

Leur intérêt pour la couleur et la lumière résulte en partie des recherches de Michel-Eugène Chevreul (1786-1889) dans le domaine de la physique des couleurs. Les artistes expérimentent les effets de contraste des couleurs, jouant des contrastes générés par les couleurs complémentaires pour donner de la vie aux ombres et créer des effets d'atmosphère. Par exemple, un fond crème peut transparaître derrière un ciel bleu léger pour créer un effet de lumière chaude et irradiante. Le fond chaud est mis en valeur par le bleu qui, à son tour, semble plus froid. Ils exploitent ainsi la façon dont les couleurs chaudes montent en avant, tandis que les couleurs froides tendent à rester en retrait, pour créer des formes sans passer par le modelé conventionnel par tonalités.

Le public et les critiques sont choqués par le manque de fini apparent de ces œuvres, la liberté du coup de pinceau et l'éclat des couleurs non mélangées. Habitués jusque-là à des formes bien définies, à une matière picturale soigneusement travaillée, aux images des nobles sujets d'inspiration des peintres académiques, les tableaux impressionnistes, avec leurs petites taches de couleurs brillantes et leurs images sans définition précise, leur semblent étranges et provocateurs.

LA PEINTURE À L'HUILE AUJOURD'HUI

Notre siècle a vu la prolifération des mouvements artistiques, et les artistes se sentent de plus en plus libres de travailler à leur façon. De nouveaux procédés, telle la peinture acrylique, sont apparus sur le marché et ont été adoptés par de nombreux peintres, mais la peinture à l'huile n'a pas perdu de son charme pour autant. Au contraire, ses potentialités se sont étendues au-delà encore de tout ce qu'avaient pu imaginer ses grands maîtres. Salvador Dalí (1904-1989) a recherché une sorte de réalisme photographique, utilisant la peinture à l'huile d'une manière inspirée à l'évidence des maîtres flamands. Dans sa quête de précision, il a souvent travaillé à la loupe, reposant son bras sur un appuie-main. Les expressionnistes abstraits ont œuvré sur de grandes toiles, qui nécessitaient de nouvelles techniques d'application de la peinture. Jackson Pollock (1912-1956), par exemple, étalait sa toile non tendue sur un châssis à même le sol, et, avec une brosse, dispersait et projetait la peinture sur la surface. Les qualités physiques de la matière et la dynamique des mouvements de l'artiste dictaient la qualité des contours et de la surface peinte.

Depuis les impressionnistes, la gamme des pigments à l'huile s'est beaucoup élargie, notamment grâce à la richesse des couleurs chimiques. Les fabricants ont créé toutes sortes de médiums pour transformer le comportement de la matière picturale, et les pigments du commerce sont maintenant de qualité assez régulière, et donc sûrs. Si ces développements éliminent une grande partie des incertitudes et des aspects ingrats de la peinture, ils peuvent susciter de nouveaux problèmes, en particulier pour les peintres inexpérimentés, ou qui n'ont pas suivi de cours dans une école d'art. Pour ces amateurs, les matériels vendus dans les magasins spécialisés sont très tentants, et même stimulants. L'artiste peut apprendre une technique en étudiant, en analysant les œuvres des peintres des siècles passés, mais l'expérimentation et l'expérience restent néanmoins fondamentales.

Full Fathom Five (1947), par Jackson Pollock (1912-1956). Pollock a commencé par peindre au chevalet, mais pour cette œuvre, l'un des premiers exemples de sa technique de *dripping*, il a posé sa toile non tendue directement sur le sol. Abandonnant le pinceau pour une méthode plus directe, il dilue sa peinture, et l'applique en la laissant couler d'une boîte, un bâtonnet lui permettant de contrôler la direction du flux. Ce faisant, il se déplace autour de la toile, l'effet final étant déterminé par des facteurs tels l'angle et la vitesse à laquelle la matière est versée, sa viscosité et les déplacements de l'artiste. Sur un fond dominant de couleur *dripped,* le peintre jette ou projette d'autres couleurs, et enrichit l'effet d'empâtement en introduisant des matériaux tels boutons, pièces, clous, punaises et cigarettes.

CHAPITRE DEUX

POUR COMMENCER

Pour le débutant, une visite dans un magasin de fournitures d'art peut se révéler aussi fascinante que décourageante, tant est vaste la gamme des matériaux et équipements proposés. Pour autant, il n'est pas nécessaire de dépenser beaucoup pour commencer : quelques pinceaux et six ou sept couleurs – noir, blanc, ocre jaune, rouge de cadmium, jaune de cadmium clair, bleu cobalt et ombre – devraient suffire. Au fur et à mesure de vos expérimentations, aussi bien sur les sujets que sur les techniques, vous découvrirez que vous avez intérêt à enrichir votre gamme de couleurs.

Jusqu'au XVIIIe siècle, la plupart des artistes préparent eux-mêmes leurs couleurs et leurs instruments, ou chargent leurs apprentis et élèves de le faire. Aujourd'hui, l'essentiel du matériel est disponible dans le commerce. Les photographies *de gauche* montrent la fabrication de peintures modernes chez George Rowney and Co. (fondé en 1789) et Winsor and Newton (fondé en 1832).

Professionnel ou amateur confirmé, l'artiste doit commencer par trouver un endroit pour peindre, ce qui n'est pas toujours aisé. Le choix peut aller du grand atelier spécialement conçu, souvent à quelque distance du domicile, à un coin de la salle de séjour, ou, au pire, au bout de la table de cuisine lorsque le reste de la famille est sorti ou couché. Cette dernière solution peut convenir si vous pratiquez l'aquarelle ou travaillez le petit format : vous n'avez pas besoin de beaucoup d'espace, vous rangez votre matériel dans une boîte ou un sac, et peignez presque partout. Les problèmes commencent lorsque vous vous lancez dans les grands formats, et utilisez des matériels plus sophistiqués.

La peinture à l'huile peut alors se révéler plus difficile. De nombreux artistes ont une prédilection pour les grands formats, depuis 76 x 60 cm jusqu'à plusieurs mètres de long. L'environnement idéal doit vous permettre de laisser sur le chevalet le travail en cours, pour y revenir à n'importe quel moment. La peinture à l'huile séchant lentement, le peintre peut travailler très longtemps sur le même tableau ; or si l'espace lui est chichement compté et ne peut être consacré exclusivement à la peinture, il se trouve face à un objet encombrant et pas encore sec. A moins d'être très propre et très organisé, vous constaterez que les taches de peinture se répandent dans toutes sortes d'endroits, même les plus inattendus – sur les meubles, les vêtements, et même sous les tasses à café –, et envahissent la maison, au grand dam de votre famille et de vos amis.

LES SUPPORTS

Après avoir étudié – même rapidement – le lieu dans lequel vous allez peindre, vous pouvez maintenant penser au support sur lequel vous allez travailler. Les supports ont un rôle très important. Les premiers connus sont les parois ou plafonds des grottes préhistoriques, auxquels ont succédé les murs recouverts d'une couche de mortier, puis de plâtre. La peinture au chevalet – mobile – a permis d'utiliser une variété beaucoup plus grande de matériaux, comme la toile, le bois, le parchemin, les métaux, le tissu, et, plus récemment, l'Isorel, les panneaux d'aggloméré ou de contre-plaqué.

Le support de la peinture à l'huile ne doit pas absorber l'huile, et posséder un grain suffisant pour retenir la peinture. Le choix de la texture est une question de goût personnel, et sera influencé par votre manière de travailler. En général, les peintres qui privilégient les couches assez fines, les petits pinceaux et les petits formats préfèrent des surfaces au grain relativement fin, alors que ceux qui travaillent à la peinture épaisse et à plus grande échelle choisissent des supports plus rugueux.

LA TOILE

Si la gamme de supports est immense, la toile reste le matériau le plus utilisé. La faveur dont elle jouit remonte au début du XVe siècle, et coïncide avec les débuts de l'histoire de la peinture à l'huile. Le recours au tissu est déjà fréquent avant cette période, parallèlement au panneau de bois, mieux adapté à la *tempera,* qui nécessite un support résistant pour éviter les craquelures et que le pigment se détache. Le bois est facile à se procurer, durable, se découpe aisément, et se prête à la dorure, appréciée des peintres de sujets religieux et de leurs clients. Au cours du XVe siècle, les artistes privilégient de plus en plus la toile. Ses avantages sont évidents. Légère, elle se transporte facilement, et les grands tableaux qui naguère ne pouvaient être réalisés que *in situ,* sous forme

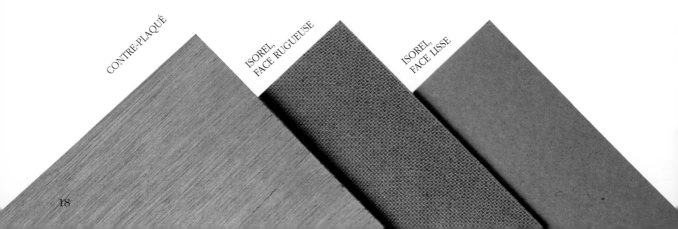

CONTRE-PLAQUÉ

ISOREL, FACE RUGUEUSE

ISOREL, FACE LISSE

La lumière est un élément important pour l'atmosphère d'une composition, et affecte la perception du sujet et les couleurs du pigment. L'endroit où vous peignez doit être bien éclairé, artificiellement ou à la lumière naturelle. *A gauche :* réglage de la lumière pour le portrait de la page 102.

de fresque ou de grands panneaux de bois, peuvent désormais être traités comme des tableaux de chevalet.

Bien que les alternatives soient nombreuses, beaucoup d'artistes continuent à considérer que la toile est le plus agréable des supports. Rien n'égale la réaction d'une toile tendue et la manière dont son grain naturel retient la peinture. Elle offre également un vaste choix de textures et de finis.

Parmi les différents textiles utilisés, le lin est le meilleur... et le plus cher. Il est produit à partir des tiges du lin (l'huile de lin est extraite des graines de la même plante). La toile de lin, qui conserve la forte couleur grisâtre de la matière végétale, existe dans différents tissages et poids. Le choix est question de goût plus que de qualité. La toile de coton, très populaire, est également proposée dans des qualités variées. Moins stable et plus molle que le lin, elle est considérablement moins chère, et appréciée de nombreux artistes. Les mélanges de lin et de coton ne sont pas recommandés, car leur matière absorbe différemment l'huile et les pigments, provoquant des distorsions dans le tissage. La toile de

jute est un support bon marché et rugueux, qui demande beaucoup de préparation.

Seuls les essais – et les erreurs – vous aideront à trouver le support qui vous convient le mieux, techniquement et financièrement. Aussi est-il important de faire des expériences, et d'utiliser de temps en temps un support différent. Dans une certaine mesure, vous serez limité par ce que vous proposent les magasins spécialisés, bien que vous puissiez également acheter par correspondance. Une autre façon d'élargir votre expérience est de noter ce que vos amis utilisent, et d'observer de près les tableaux dans les expositions pour découvrir le support que l'artiste a utilisé.

TENDRE LA TOILE

La toile peut être achetée déjà tendue sur un cadre et prête à l'emploi, mais il est bien plus économique de l'acquérir au mètre et de la tendre vous-même. C'est moins difficile à faire que vous ne le pensez. Achetez un châssis chez votre fournisseur, qui vend également des pinces à tendre, très utiles. Armé d'un cutter ou de

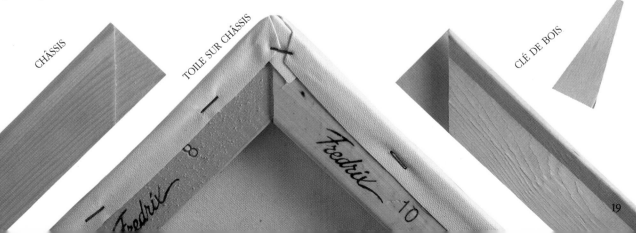

CHÂSSIS   TOILE SUR CHÂSSIS   CLÉ DE BOIS

ciseaux, découpez la toile aux dimensions souhaitées en vous servant d'une règle métallique comme guide. Prévoyez un rabat de 4 cm sur les quatre côtés. Posez le châssis sur la toile de manière à ce qu'un côté soit parallèle au tissage. Repliez la toile sur un côté du châssis, et agrafez-la ou clouez-la au centre. Puis, à l'aide de la pince à tendre, si vous en avez une, tendez-la et fixez-la au centre du côté opposé. Répétez la même opération pour les deux côtés restants. En travaillant alternativement d'un côté et de l'autre, achevez la tension et l'agrafage jusqu'à ce que les quatre côtés soient bien fixés, et la toile raide tout en conservant une certaine souplesse. Il n'est pas nécessaire d'exercer une grande pression pour tendre. En fait, si vous tendez trop la toile, vous risquez de fausser le châssis. Repliez les coins proprement. De petites pièces de bois, appelées "clés", entrent dans les angles intérieurs du châssis, permettant de régler la tension selon les besoins.

LA PRÉPARATION DE LA TOILE

On ne doit pas peindre sur une toile non apprêtée. Le tissu doit être isolé de la peinture pour éviter que l'huile soit absorbée par le matériau, ce qui provoquerait le dessèchement et le décollage du pigment. Les produits chimiques contenus dans la peinture réagissent également au contact de la toile, et pourraient finir par la détériorer. Bien entendu, certains artistes ne respectent pas ces règles. Le peintre anglais Francis Bacon (1910-1992), par exemple, préparait une face de la toile, et travaillait sur l'autre. Les conservateurs des musées et autres galeries sont aujourd'hui confrontés à la délicate tâche de préserver son œuvre pour la postérité.

La manière conventionnelle de préparer la toile consiste à la recouvrir d'une couche de colle de peau avant d'appliquer le fond. Les colles animales sont les meilleures : colle de peau de lapin, fabriquée à partir de déchets de cuir, ou colle d'os. La colle de peau de lapin adhère peu, mais demeure assez souple une fois sèche, ce qui limite les risques de craquelures.

Pour préparer l'encollage, mélangez une part de cristaux de colle à sept parts d'eau ; laissez dissoudre environ 20 mn, ou jusqu'à ce que le volume ait doublé. Réchauffez à feu doux ou au bain-marie, sans faire bouillir, ce qui réduirait le pouvoir adhésif. Prévoyez une casserole ou un récipient spécial pour cette opéra-

tion. Laissez refroidir. La colle a maintenant l'aspect d'une gelée, qui doit être assez ferme et ne pas couler du récipient lorsque vous l'inclinez. Pour l'utiliser, il vous suffit de la réchauffer à feu doux pour la ramollir, et de l'appliquer encore chaude sur la surface externe de la toile tendue. Servez-vous d'une brosse large bien chargée, mais sans appuyer ni frotter trop fort pour ne pas endommager la surface de la toile. Vous pouvez passer une seule couche, ou, comme certains peintres, deux couches très minces, en laissant sécher plusieurs heures entre les deux.

La colle à toile existe également toute prête, en bouteille. A moins de travailler uniquement sur de très petits formats, vous réaliserez rapidement que cette solution est trop coûteuse.

Une fois la toile encollée, le fond peut être appliqué. Sa fonction est triple : créer une couche isolante entre la colle et la peinture, offrir une surface facile à travailler et une protection supplémentaire au support. La plupart des fonds sont blancs, ce qui confère plus de brillance à la peinture, et diminue l'effet d'assombrissement avec le temps. Vous pouvez aussi acheter des toiles déjà préparées, mais certains artistes trouvent ces supports coûteux et peu agréables à travailler.

Il existe différentes formules de fonds, et la plupart des magasins spécialisés proposent tout un choix en boîtes prêtes à l'emploi. Les fonds à l'huile donnent une surface blanche, dont la souplesse est bien adaptée aux supports textiles. Ils sèchent très lentement, et il faut attendre au moins un mois avant d'utiliser un support ainsi préparé. Vous pouvez également composer votre propre fond. Voici une des recettes les plus simples : six parts d'essence de thérébentine, une part d'huile de lin, un peu de blanc de titane en poudre.

Mélangez l'essence et l'huile de lin, et ajoutez peu à peu le pigment blanc jusqu'à ce que le tout prenne une consistance onctueuse et épaisse. Le fond s'applique sur le support en deux couches fines.

Il existe de nombreuses solutions encore plus simples. Par exemple, une couche de fond à base huileuse, utilisée par les décorateurs, qui s'achète chez les quincailliers, ou des préparations acryliques. Celles-ci s'appliquent directement sur la toile ou le panneau, sans encollage, pour éviter les craquelures. Elles nécessitent deux couches fines, la première diluée à l'eau.

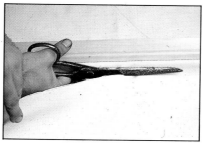

TENDRE LA TOILE
Posez le châssis sur la toile, et calculez la quantité de toile nécessaire, en laissant celle-ci dépasser de 4 cm tout autour.

Découpez la toile avec des ciseaux ou un cutter en vous guidant avec une règle métallique. Coupez dans le sens du fil de la toile.

En commençant par un des grands côtés, repliez la toile sur le châssis et agrafez-la au centre. Répétez l'opération sur le côté opposé, puis sur les deux autres.

En alternant les côtés, achevez la tension et l'agrafage, du centre vers les coins. Repliez les angles.

Repliez soigneusement l'angle de la toile sur celui du châssis, et fixez avec une agrafe. Si le travail est mal fait, le châssis sera difficile à encadrer.

Insérez deux clés dans les fentes ménagées dans chaque angle. Vous pourrez les enfoncer davantage si la toile se détend par la suite.

LA PRÉPARATION DE LA COLLE
Les cristaux de peau de lapin s'achètent chez les fournisseurs spécialisés. Une part de cristaux pour sept parts d'eau. Laissez tremper environ 20 mn.

Les cristaux absorbent l'eau, doublent de volume, et prennent une consistance pelucheuse. Chauffez à faible température, sans bouillir.

Appliquez la colle encore chaude sur la face extérieure de la toile tendue avec un pinceau large, en balayant régulièrement d'un côté à l'autre.

Faites l'expérience avec différentes formules d'apprêt pour trouver celle qui convient le mieux à votre style et à votre manière de peindre.

LES AUTRES SUPPORTS

L'un des plus anciens supports de la peinture au chevalet est le bois, bien qu'il soit beaucoup moins populaire de nos jours. Les bois durs, qui comportent moins de risques de gauchir ou de fendre sont les mieux adaptés, et parmi eux le vieil acajou est le meilleur. Le gauchissement est limité par l'entretoisement, qui consiste à fixer, à l'aide de vis ou de colle, deux tasseaux de bois légèrement plus courts que le panneau au dos de celui-ci et perpendiculairement au grain du bois. Une autre technique consiste à préparer le panneau sur les deux faces.

L'Isorel est un excellent support : bon marché, il offre deux surfaces différentes, l'une lisse, l'autre texturée, avec un fini proche du bois. Solide, il n'a pas besoin de renforts, à moins d'être utilisé dans de grandes dimensions. Les angles, que vous pouvez renforcer, constituent le seul point faible. Préparé sur les deux faces, il n'est pas sujet au cintrage.

Les contre-plaqués doivent comporter au moins cinq lamelles, voire huit, et être correctement renforcés. L'aggloméré ne cintre pas, mais, très lourd, il doit être sérieusement préparé.

Le carton est un excellent support, utilisé par de nombreux artistes par le passé, tels Édouard Vuillard (1868-1940) et Edgar Degas (1834-1917). Il s'encolle sur les deux faces pour éviter le cintrage, et peut être éventuellement renforcé.

Le papier peut sembler mal adapté à l'huile, mais il a souvent été utilisé, entre autres par Rembrandt, Constable et Cézanne. Un bon papier aquarelle est la meilleure solution, car il possède à la fois du grain et de la main, mais le papier cartouche et le papier kraft de couleur peuvent également convenir. Le papier peut être utilisé sans encollage préalable, en particulier si vous n'êtes pas obsédé par la transmission de vos œuvres à vos descendants, et souhaitez seulement faire quelques esquisses ou exercices. Cependant, le papier non encollé à tendance à séparer l'huile du pigment, qui finit par craqueler et tomber. Avec un encollage, la peinture aura plus de chances de perdurer. Pour travailler sur papier, fixez simplement celui-ci sur une planche à dessin avec des punaises ou des pinces à dessin.

APPRÊT ÉMULSIONNÉ
Cet excellent apprêt, économique, convient aussi bien à la toile qu'à l'Isorel : mélangez dans des proportions égales une peinture de décoration émulsionnée avec un vernis émulsionné, en vente chez les marchands de matériel de peinture.

L'ENCOLLAGE DE L'ISOREL
La surface lisse absorbe peu. Frottez-la légèrement au papier de verre.

Appliquez régulièrement la colle chaude au pinceau. Deux couches minces sont préférables à une couche épaisse.

LA MOUSSELINE SUR PANNEAU
Découpez la mousseline en prévoyant un débord de 3 cm de chaque côté. Déposez-la sur le panneau, et appliquez la colle chaude.

Appliquez la colle sur la mousseline avec un pinceau large en écrasant tous les plis. Retournez le panneau, repliez le tissu, et encollez-le.

Tous ces supports peuvent être encollés et préparés avec un apprêt adapté. Vous pouvez également vous contenter d'une couche de préparation acrylique.

Une mousseline fixée sur un panneau d'Isorel, par exemple, constitue un support très économique. Découpez le panneau aux dimensions voulues, puis déroulez le tissu bien à plat sur celui-ci, en conservant 3 cm supplémentaires sur tous les côtés. Avec un pinceau large, appliquez une colle chaude, en évitant les plis. Retournez le panneau, et repliez le tissu qui dépasse, que vous fixez avec la colle. Celle-ci ayant le rôle d'un adhésif. Le canevas est un matériau assez grossier qui demande plus de colle que la mousseline, plus fine. Tous deux offrent une surface agréable à travailler, une texture, une couleur et un grain satisfaisants.

Vous pouvez également acheter des supports tout prêts, le moins cher étant le papier pour esquisses à l'huile. Il présente une surface à grain déjà apprêtée, et se vend par grandes feuilles de 76 x 51 cm, ou par blocs de vingt feuilles environ dans les dimensions classiques. C'est une solution bon marché et très pratique pour l'esquisse, car le bloc présente une surface rigide, et le papier est facile à conserver. Les panneaux toilés offrent différents grains, et sont vendus avec un apprêt adapté aussi bien à l'huile qu'à l'acrylique. L'avantage de ces produits est de vous dispenser de l'encollage et de la préparation, mais de nombreux amateurs trouvent ces surfaces grasses et peu agréables à travailler. C'est entièrement une question de goût. Plusieurs peintures présentées dans cet ouvrage ont été réalisées sur ces supports.

LES PEINTURES

Toutes les peintures – aquarelle, gouache, acrylique et huiles – sont à base de pigments, substance pulvérulente qui colore toute matière à laquelle elle est mélangée ou sur laquelle elle est appliquée en couche fine. Le pigment mélangé ou broyé avec un liant pour constituer une peinture ne se dissout pas réellement, mais demeure en suspension dans le liquide. On peut encore trouver facilement des pigments en poudre, et certains artistes restent persuadés que les pigments broyés à la main sont bien meilleurs que les couleurs en tube.

Les pigments se classent en trois grands groupes : les terres, les pigments inorganiques et les pigments organiques. Les terres naturelles existent dans le monde entier, mais proviennent généralement de régions bien particulière, où on les trouve sous forme pure. Utilisés pendant des milliers d'années, les pigments de terre – ocres, ombres, terres verte et Sienne – sont des oxydes de fer. Les pigments non organiques sont issus de minéraux naturels, devenus de plus en plus rares. A l'exception du lapis-lazuli (ultramarine) et du cinnabar (vermillon), ils ont pratiquement disparu, pour être remplacés aujourd'hui par des produits synthétiques. Ce sont les couleurs de cadmium, le bleu de cobalt, l'azur, le vert, le vermillon et le bleu outremer.

Les pigments organiques sont à l'origine des teintures végétales ou animales. Ils produisent des "laques" en précipitant au contact d'agents comme l'alumine une poudre blanche, qui devient incolore et transparente lorsqu'elle est broyée dans l'huile. Le carmin et le rose garance sont des laques. Les premières teintures synthétiques ont tenté de rivaliser avec ces produits naturels. Les laques sont assez fugitives, et traversent les couches de peinture successives, mais certains pigments organiques nouveaux possèdent un très haut degré de résistance.

De nos jours, si les artistes achètent leurs matériaux tout prêts, les principes de base anciens, lorsque les pigments étaient broyés à la main sur un carreau de marbre, sont toujours appliqués par les fabricants. Les pigments sont dispersés dans de l'huile de lin ou de l'huile de carthame, plus pâle et séchant plus lentement. Les huiles sèchent par oxydation, et se polymérisent sous une forme solide, qui retient les pigments en suspension. Liquides, elles sont solubles dans des solvants tels le white spirit ou l'essence de térébenthine, mais ne le sont plus en séchant. La durée du séchage peut prendre jusqu'à un an, et le film de peinture sèche continue de durcir avec le temps.

La peinture à l'huile commercialisée en tube est proposée dans deux qualités, fine et extra-fine, ou, pour les marques anglaises, "artists" et "students". La première est la plus coûteuse, parce qu'elle contient une concentration plus forte de pigments supérieurs, choisis pour l'éclat de leur couleur, ce qui signifie qu'elle offrira de meilleurs résultats que les versions moins chères lorsqu'elle sera mélangée à du blanc. La proportion d'adjuvants chimiques est limitée : ils permettent d'améliorer la stabilité de la couleur et raccourcir le temps de séchage. Certaines couleurs particulières ne sont disponibles que dans cette gamme. Comme elles mettent plus de temps à sécher que celles de qualité moindre, elles sont mieux adaptées au travail en atelier. Les "fines" sont moins chères, car, dans certains cas, les pigments coûteux sont remplacés par des substituts plus économiques. Le vermillon, le cobalt et le cadmium pur figurent rarement dans cette gamme. Les peintures ont généralement une texture moins fine, et contiennent une proportion plus forte de diluant, mais elles sont utiles pour les débutants qui ne sont pas encore familiarisés avec le toucher des peintures à l'huile.

Le temps de séchage est différent selon les couleurs. Celles qui contiennent des pigments de terre sèchent plus vite – un jour, ou presque, pour une couche fine. Le rouge turc, en revanche, nécessite dix jours environ pour être sec au toucher, et le séchage complet peut demander jusqu'à un an. La durée est également affectée par l'humidité, la température et le mouvement de l'air sur la toile. Les couches épaisses sèchent lentement, et ont tendance à craqueler. Si vous peignez en plusieurs couches fines, laissez un temps correct de séchage entre chacune.

Les couleurs présentent des degrés divers de permanence. Le fabricant Rowney, par exemple, mentionne les symboles suivants sur ses tubes :

**** très permanentes,

*** pures, ces couleurs sont identiques aux ****, mais, mélangées avec du blanc ou en glacis fin, elles sont un peu moins permanentes,

** moins permanentes que les ***, et insuffisamment inertes mélangées avec d'autres pigments,

* relativement fugitives.

D'autres fabricants indiquent sur le tube si la peinture est permanente ou non permanente.

LES DILUANTS

Les solvants permettent de diluer la couleur en tube, et de nettoyer les pinceaux, les palettes et les mains. Pour être efficace, un diluant doit s'évaporer complètement du film de peinture. L'essence de térébenthine est le diluant le plus utilisé. Obtenue à partir de la distillation de la résine de pin, elle accélère le séchage des huiles de liaison des pigments et des peintures. Elle ne doit pas être laissée débouchée dehors ou exposée à la lumière, qui la font tourner, la rendent épaisse et caustique, et ralentissent son temps de séchage. On trouve de nombreuses variétés d'essence de térébenthine sur le marché, chacune possédant ses caractéristiques. La meilleure qualité est distillée, et vendue exclusivement dans les magasins de fournitures d'art. Le white spirit est un solvant légèrement moins efficace, qui ne se détériore pas avec le temps et sèche plus rapidement. Distillé à partir d'huiles brutes de pétrole, son prix est beaucoup moins élevé que celui de la térébenthine. De nombreux artistes ne supportent pas son odeur, mais il est pratique, et peut certainement servir de diluant ou à nettoyer les pinceaux.

PALETTE EN PAPIER

Artists' Oil Colour Light Red
120 SL Series 1
Brun Rouge
Gebrannter Lichter Ocker
Pardo Rojo
Bruno Rosso

21 ml ℮

COULEURS POUR ARTISTES

Artists' Oil Colour

Artists' Oil Colour Sap Green
166 SL Series
Vert de Vessie
Saftgrün
Verde di Vescica

Artists' Oil Colo
Winsor

Les marchands de couleurs proposent différents solvants, qui offrent des qualités et des temps de séchage variés. Informez-vous. Seule l'expérimentation vous permettra de trouver le produit qui correspond le mieux à votre style.

LIANTS ET MÉDIUMS

Les peintures à l'huile sont donc fabriquées par broyage des pigments dans un liant, qui est une huile naturelle telle celle de lin ou d'œillette. Certains servent également de médium, c'est-à-dire de substance qui, mélangée à la peinture en tube, altère son caractère et sa consistance, ainsi que pour le glacis et le vernissage. Les huiles siccatives sont des huiles grasses, généralement d'origine végétale, qui sèchent en formant un film dur et transparent lorsqu'elles sont exposées à l'air. L'oxydation transforme leur structure moléculaire, et c'est cette caractéristique qui en fait des liants.

Prisée des artistes depuis le Moyen Âge, l'huile de lin est la plus usitée. Pure, elle est produite par chauffage à la vapeur des graines de lin, qui sont ensuite pressées pour extraire l'huile. La meilleure qualité est l'huile de lin pressée à froid, dont la production est moins abondante, ce qui explique un prix plus élevé. L'huile de lin raffinée, fabriquée par blanchiment et purification de l'huile brute, est un très bon substitut. Elle sèche lentement, mais augmente le brillant et la transparence de la peinture. La couleur de cette huile va du jaune paille au miel doré. Evitez les couleurs les plus pâles, qui, avec le temps, foncent. L'huile de lin blanchie au soleil est plus pâle, sèche plus vite que l'huile raffinée, et convient aux mélanges avec les couleurs claires et le blanc. Épaissie au soleil, elle offre une consistance plus dense et permet de fluidifier la peinture. La "stand oil" est produite par traitement à chaud de l'huile de lin sous vide. Le produit est clair et épais, et sèche en un film dense et élastique qui ne retient pas les traits de pinceau, et ne fonce pas autant que les autres huiles de lin. Dilué à l'essence de térébenthine, il est excellent pour les glacis.

L'huile d'œillette est obtenue à partir du pavot à opium. De couleur très pâle, c'est un bon liant pour les teintes les plus claires ou le blanc. Utilisée comme médium, elle confère à la peinture une agréable onctuosité, particulièrement intéressante pour la technique *alla prima*. Les impressionnistes l'appréciaient pour cette raison. Elle sèche lentement, et ne doit donc pas être utilisée pour les peintures en plusieurs couches, car elle a tendance à fendiller plus facilement que l'huile de lin. Là encore, de nombreuses qualités sont proposées. L'huile d'œillette blanchie au soleil est très pâle, et donc idéale pour le blanc et les couleurs claires, alors que l'huile d'œillette siccative sèche moins rapidement.

La question des liants et des médiums est assez complexe, aussi, seuls les produits les plus courants seront abordés ici. A moins de broyer ou mélanger vos pigments vous-même, vous n'avez pas vraiment à vous préoccuper des liants. La solution la plus fréquemment utilisée consiste en un mélange d'essence de térébenthine et d'huile de lin ou d'œillette. Les proportions sont matière

HUILE DE LIN

WIN-GEL (SOLUTION DE SÉCHAGE RAPIDE)

TÉRÉBENTHINE

Artists'
Oil Colour

Cobalt Blue

203 SL   Series
Bleu de Cobalt
Kobaltblau

de goût, de méthode de travail et d'habitudes, et vous ferez évoluer vous-même vos recettes. Certains artistes ajoutent du vernis à la peinture, qui facilite le séchage et augmente la brillance de la surface peinte. Les vernis sont particulièrement recommandés pour les glacis.

On trouve différents produits dans le commerce. L'Oléopasto se mélange à la peinture pour créer des effets d'empâtement. Les gels confèrent à la peinture un brillant agréable, particulièrement aux glacis ou aux empâtements légers. Tous les fabricants de peinture proposent des solutions à base huileuse et des gels de différentes qualités, qui modifient la texture et la souplesse de la peinture tout en affectant le temps de séchage.

LES VERNIS

Tous les vernis sont des solutions de résine dans un solvant. Les peintres les utilisent depuis des siècles, aussi bien pour protéger que comme médium dans les glacis. Les vernis à l'huile, ou vernis gras, sont obtenus par dissolution de résines telles que le copal, l'ambre et la sandaraque dans des huiles siccatives (l'huile de lin, par exemple). Les vernis durs résultent de la dissolution de mastic ou de dammar (une résine tropicale) dans de l'essence de térébenthine. Les différents vernis ne servent pas uniquement à protéger la surface peinte ; il existe également un vernis de finition et un vernis à retoucher, qui contient plus de térébenthine et brille moins. Un vernis diluant peut être ajouté à la couleur en tube pour créer un glacis, et un vernis isolant appliqué sur des peintures sèches depuis peu, mais auxquelles on souhaite apporter quelques modifications sans affecter la

sous couche. On trouve des vernis prêts à l'emploi partout, mais vous pouvez également les préparer vous-même en diluant une résine dans de l'huile ou de l'essence de térébenthine.

LES PINCEAUX

Le peintre doit pouvoir disposer d'une gamme étendue de pinceaux. Les fibres utilisées sont principalement les soies de porc naturelles, le poil de martre et les poils synthétiques. Les pinceaux en soies de porc, les plus populaires, sont des soies blanchies. L'extrémité fendue du poil retient particulièrement bien la peinture, notamment grâce à la longueur et à l'épaisseur des soies.

Les pinceaux, ou brosses, utilisés principalement :

- **les pinceaux à bout rond,** très utiles : les plus grands permettent d'appliquer une fine couche de peinture sur une surface importante ; les plus petits de dessiner et de traiter les détails. Certains ont l'extrémité de leurs poils taillée ;

- **les pinceaux plats,** aux soies plus ou moins longues, sont polyvalents, et peuvent servir à déposer de petites taches de couleur, tandis que

- **la tranche, ou l'angle,** trace des lignes fines ;

- **les pinceaux en éventail,** en soies de porc, de blaireau ou de martre, sont utilisés pour mélanger les couleurs sur la toile.

Certains pinceaux conviennent mieux à certaines utilisations. Les impressionnistes, par exemple, qui aimaient travailler une matière onctueuse et ferme, préféraient les pinceaux plats, alors que les maîtres anciens, aux techniques de glacis élaborées, privilégiaient les

GODET MÉTALLIQUE

PALETTE EN BOIS

GODET
EN PLASTIQUE

PINCEAU ROND EN SOIES DE PORC

LANGUE DE CHAT EN SOIES DE PORC

PINCEAU ROND EFFILÉ EN SOIES DE PORC

ROND EN POIL DE MAR...

ronds. Il vous faut disposer de nombreux pinceaux, pour éviter d'avoir à les nettoyer continuellement, et parce que, la peinture séchant très lentement, vous pouvez avoir envie de laisser une couleur sur un pinceau pour l'avoir sous la main à tout instant. Certains peintres sont très conservateurs, et n'utilisent qu'une gamme limitée de tailles et une ou deux formes seulement, alors que d'autres travaillent avec toutes les tailles et toutes les formes. Là encore, le choix dépend de votre façon de travailler, de la manière dont vous appliquez la peinture, et de votre portefeuille. Il est intéressant cependant d'explorer de temps en temps les possibilités des différents pinceaux pour enrichir votre technique et libérer votre style. Vous pouvez également utiliser un petit pinceau de décorateur pour les fonds ou les grandes surfaces.

Les pinceaux en poil synthétique sont relativement récents. Disponibles dans les mêmes formes que les modèles traditionnels, leurs soies sont plus souples que celles de porc, et moins que celles de martre. Moins chers, ils durent et conservent leur forme. Certains artistes les aiment, d'autres les détestent, parce qu'ils ne retiendraient pas la peinture comme les fibres naturelles. Leur prix fait que vous devez sans doute les essayer.

Les pinceaux en poil de martre sont doux et très coûteux. Les modèles ronds sont les plus utilisés pour les détails, les glacis fins, et pour appliquer peinture fraîche sur peinture fraîche sans abîmer la couche précédente.

Certains pinceaux sont composés d'un mélange de fibres – par exemple martre et bœuf. Ils offrent de nombreuses qualités tout en étant moins chers. On trouve également des mélanges de martre et de synthétique.

La taille d'un pinceau est indiquée par un numéro figurant sur le manche, très utile pour les commander. Mais les tailles sont spécifiques à chaque type : un martre n° 6 ne sera pas de la même taille qu'un soies de porc n° 6. La taille des pinceaux en soies de porc varie de 1 à 12, celle des pinceaux en martre d'un minuscule 000 à 14.

L'ENTRETIEN DES PINCEAUX

Il est essentiel. Un bon pinceau coûte cher, et peut durer des années s'il est bien entretenu, alors que le même pinceau utilisé avec vigueur sur une surface rugueuse, et mal nettoyé, se détériorera en quelques jours. Nettoyez vos pinceaux à la fin de chaque séance de travail. Lorsqu'une brosse est chargée de peinture, éliminez l'excès avec un peu de papier journal ou de papier de cuisine, puis rincez-la dans le white spirit avant de la sécher soigneusement avec un chiffon. Utilisez l'eau chaude, lavez les soies avec un savon ménager. Evitez les détergents trop agressifs. Frottez les soies pleines de savon sur la paume de votre main pour assouplir la peinture accumulée autour de la virole. Rincez sous l'eau chaude, et frottez doucement sur votre paume jusqu'à ce que toute la peinture s'en aille. Secouez pour éliminer l'excès d'eau, puis remettez les poils en forme. Mettez le pinceau à sécher, tête en haut, dans un pot. Ne laissez jamais vos pinceaux reposer sur leurs poils.

COUTEAUX, PALETTES ET CONTENEURS

Les couteaux à peindre possèdent des lames en acier droites et souples, qui servent à mélanger les couleurs

ÉVENTAIL EN SYNTHÉTIQUE

PLAT SYNTHÉTIQUE

COUTEAU À PEINDRE

COUTEAU EN TRUELLE

COUTEAU DE PALETTE À LAME DROITE

COUTEAU À BOUT CARRÉ

COUTEAU BISEAUTÉ

sur la palette, à gratter la matière sur le support, à nettoyer la palette, et, parfois, à peindre. Certains ont un manche coudé qui protège la main de la peinture. Toute une gamme de tailles et de formes est proposée : truelle, pointe de diamant, etc. La peinture au couteau se prête bien aux empâtements, aussi, n'hésitez pas à y recourir si vous avez envie d'enrichir votre style.

Les palettes permettent de présenter les couleurs dont vous avez besoin, et de les mélanger. Prenez l'habitude de disposer vos couleurs autour de la palette dans une séquence logique, des froides aux chaudes par exemple. Vous saurez ainsi où se trouve la couleur recherchée, d'autant que certaines sont difficiles à distinguer une fois pressées hors du tube.

La palette traditionnelle a la forme d'un rognon, en bois, avec une découpe pour les doigts et un trou pour le pouce. Les palettes rectangulaires sont conçues pour être rangées dans une boîte de peinture. L'acajou est le bois le plus prisé, mais d'autres peuvent lui être préférés. Les palettes pour peinture à l'huile sont généralement plates, mais certaines possèdent des alvéoles, souvent en plastique, en céramique ou en métal. Elles servent à mélanger des peintures très diluées pour les glacis ou certaines couches. Les palettes jetables en papier sulfurisé sont très utiles, et évitent la corvée de nettoyage.

On peut découper une palette dans du contre-plaqué, ou même un bois bon marché. Imperméabilisez le bois en le recouvrant d'une couche d'huile de lin, éliminez l'excédent d'huile avec du papier de cuisine. Laissez sécher pendant un jour, et répétez l'opération plusieurs fois. Traitez les palettes neuves de la même façon, afin que le bois n'absorbe pas l'huile des peintures. Il est conseillé de huiler la palette chaque fois que vous l'utilisez, pour créer, petit à petit, une superbe patine.

Il est important de se sentir à l'aise avec sa palette, et qu'elle soit suffisamment grande. Une petite palette risque de vous gêner : trop vite encombrée, elle vous découragera de tenter de nouvelles expériences chromatiques.

Vous pouvez également mélanger vos couleurs sur du verre. De nombreux artistes apprécient par ailleurs les petites tables roulantes, parfois métalliques, que l'on déplace facilement, et qui offrent une grande surface pour les mélanges et une étagère inférieure pour ranger les chiffons, tubes de peinture, vernis, etc.

PLIANT AVEC SACOCHE

BOÎTE-CHEVALET

Nettoyez votre palette après chaque séance, avec un couteau à palette pour gratter la peinture mélangée, mais conservez les pigments non mélangés si vous pensez reprendre rapidement votre travail. Servez-vous de papier de cuisine imbibé de white spirit pour nettoyer votre palette, puis passez de l'huile de lin. Si vous conservez la peinture pour une autre séance, recouvrez la palette de papier sulfurisé pour éviter tout dessèchement.

Vous aurez également besoin de bouteilles pour l'essence de térébenthine, le white spirit, l'huile et autres produits. Un grand pot à confiture servira à nettoyer les pinceaux, et de petits godets métalliques (parfois avec couvercle) se fixant à la palette pourront être utilisés pour les médiums de travail.

LES CHEVALETS

Vous trouverez une gamme étendue de chevalets dans le commerce. Celui que vous choisirez sera fonction du lieu où vous peignez et des dimensions de vos supports préférés. Par exemple, si vous travaillez en extérieur, vous aurez besoin d'un chevalet portable. Il existe

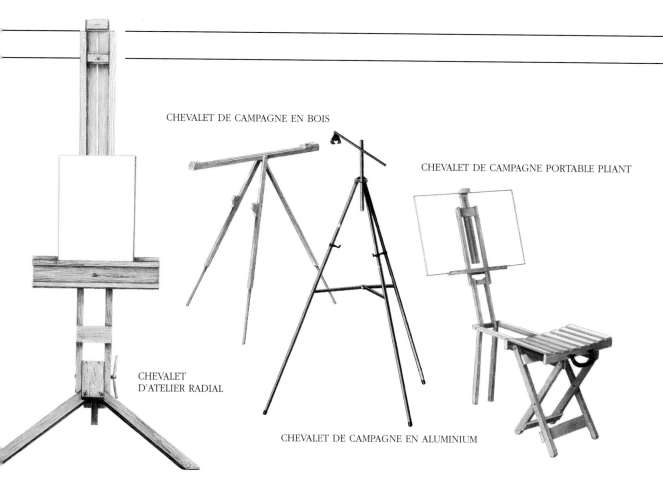

CHEVALET DE CAMPAGNE EN BOIS

CHEVALET DE CAMPAGNE PORTABLE PLIANT

CHEVALET
D'ATELIER RADIAL

CHEVALET DE CAMPAGNE EN ALUMINIUM

plusieurs modèles de chevalets de campagne, le moins cher étant probablement le chevalet pliant en bois. Certains maintiennent le support à l'horizontale, pour l'aquarelle, d'autres verticalement, pour la peinture à l'huile, et d'autres permettent deux positions. Solides mais légers, le vent peut les renverser, surtout si vous travaillez sur une grande toile, qui se comporte alors comme une voile. Quelques-uns possèdent des pieds pointus, que l'on peut piquer dans un sol mou. Les artistes attachent parfois le pied de leur chevalet à une racine d'arbre, le stabilisent avec des piquets de tente ou avec un poids ou une pierre fixée entre les pieds. Les versions métalliques légères du chevalet de campagne traditionnel sont solides et un peu plus faciles à déployer que les modèles en bois, mais plus coûteuses.

Autre type de chevalet adapté à l'utilisation extérieure : la boîte-chevalet. Pratique – bien qu'assez chère –, mais généralement plus stable que les modèles ordinaires, les couleurs sont transportées dans la boîte, qui se transforme en table, offrant ainsi une surface de travail très pratique.

De nombreux chevalets sont conçus pour l'atelier, dont un modèle à tabouret incorporé. Il prend beaucoup de place, mais est très pratique si vous aimez travailler assis ou si vous exécutez une peinture minutieuse.

Le chevalet à trois pieds est souvent fabriqué dans un bois dur, comme le teck ou le chêne, et se règle en hauteur. Il peut recevoir des toiles mesurant jusqu'à deux mètres de hauteur.

Les chevalets d'atelier sont très stables, avec une base en forme de "H". Le tableau est soutenu par une sorte d'étagère, qui forme également un compartiment pour les pinceaux. Une pièce coulissante maintient la toile par le haut. La hauteur se règle facilement, et la toile peut être placée entre 0,40 et 1 m du sol. Le système est facilement inclinable, et réglable en hauteur grâce à un mécanisme à encliquetage.

Si vous disposez de peu d'espace, et que vous aimez travailler assis, ou sur des petits formats, le chevalet de table est peut-être la solution. Inclinable, réglable en hauteur, il est compact et relativement peu onéreux.

CHAPITRE TROIS

COMMENT TRAVAILLER À LA PEINTURE À L'HUILE

L'huile est un médium très souple, qui a permis le développement de nombreuses techniques picturales. Il n'existe pas de méthode "définitive", et vous mettrez probablement au point votre propre manière de faire au fur et à mesure que vous vous familiariserez avec ce médium. La façon dont la peinture est appliquée sur le support joue un rôle important dans l'aspect final du tableau. Elle est aussi révélatrice de la personnalité de l'artiste que son écriture.

A gauche, l'artiste utilise un couteau pour travailler *alla prima.* Il étale rapidement la peinture, puis forme une couche épaisse qui contribue fortement à l'aspect final du tableau.

Une des caractéristiques de la peinture à l'huile est son application, aussi bien en glacis transparents qu'en couches opaques fines ou en empâtements chargés. L'artiste modifie la consistance du pigment à l'aide d'huiles, de vernis et de médiums. Il existe trois grandes approches, dont deux reposent sur une technique d'application par couches : dans la première, le peintre élabore une série de glacis par dessus son ébauche ; dans la seconde, la peinture est appliquée en couches opaques ou en une combinaison de couleurs opaques et transparentes. La troisième approche, appelée *alla prima*, est une méthode plus directe : le peintre étale les couleurs en une fois, souvent sans dessin ni ébauche.

Une fois votre sujet choisi – *ci-dessous à gauche* –, vous pouvez commencer de plusieurs façons. Dans le premier exemple – *ci-dessous à droite* –, l'artiste a réalisé une esquisse à la peinture diluée. Dans le second – *en bas à gauche* –, il a utilisé un fusain sur fond teinté. Dans le dernier exemple, il a exécuté une ébauche polychrome, qui dessine les formes principales et se rapproche des couleurs définitives.

LA TEINTURE DU FOND

Un fond blanc confère aux couches de peinture appliquées une luminosité et une brillance agréables. Mais comme une grande surface blanche est intimidante, certains artistes préfèrent déposer d'abord une fine couche transparente, appelée *imprimatura* ou couche d'impression. Van Eyck, par exemple, la passait sur le dessin. La couleur dépend du sujet du tableau : ainsi une couleur chaude fera ressortir le bleu du ciel ou les verts d'un paysage. Vous pouvez appliquer la teinte à l'aide d'une large brosse plate ou d'un chiffon imbibé d'essence de térébenthine.

L'ESQUISSE

Elle peut être réalisée directement sur le fond blanc ou teinté. Vous pouvez utiliser pratiquement n'importe quel outil de dessin, comme le crayon, le fusain, ou même la peinture. Si vous choisissez le crayon, utilisez une mine douce, pour effacer et corriger facilement. Sur la toile, le fusain est probablement l'outil le mieux adapté, le risque d'abîmer le support étant moindre. Le fusain est un médium doux et poudreux, à la fluidité de trait agréable. Éliminez l'excès de poudre en tapotant le cadre ou avec un plumeau. Vous pouvez fixer votre dessin avec un fixatif en bombe avant de peindre. Si nécessaire, renforcez les traits de fusain avec de la peinture diluée. Certains artistes dessinent directement à la peinture diluée, appliquée au fin pinceau de martre. Choisissez une couleur naturelle neutre, tels l'ocre ou le brun, diluée à l'essence de térébenthine ou au white spirit.

L'ÉBAUCHE

L'ébauche est généralement monochrome. Les maîtres anciens utilisaient le brun, le gris ou le vert dilués à

A gauche, glacis d'ocre et de vert, directement exécuté sur la toile, le vert se superposant à l'ocre, au centre. *A droite*, peinture blanche opaque grattée sur un support en Isorel et mousseline. La peinture à l'huile offre l'avantage de pouvoir être travaillée fraîche – *à droite*.

l'essence de térébenthine, ou, au tout début, la détrempe. L'ébauche permet de composer et de fixer les valeurs de tonalités. Le peintre commence souvent par un demi-ton, puis travaille les ombres et les lumières. De cette façon, les principaux éléments de composition et de relief sont mis au point. L'ébauche peut également être réalisée avec plusieurs couleurs, en accord avec la distribution chromatique finale du tableau. Elles peuvent être conservées, comme une esquisse, ajoutant chaleur ou froideur aux tons passés par-dessus. Aujourd'hui, de nombreux artistes utilisent la peinture acrylique pour dessiner une ébauche rapide. Cette peinture séchant très rapidement, on peut commencer à passer la couche suivante – à l'huile – presque immédiatement.

LE GLACIS

Le glacis est une couche de peinture transparente appliquée sur un fond, une ébauche, un autre glacis ou un empâtement. La lumière qui traverse le glacis, tout en étant modifiée par celui-ci, est renvoyée par la couche opaque inférieure – ou le fond. De la Renaissance au XIXe siècle, les tableaux sont réalisés dans un jeu complexe d'ébauches, de glacis, de frottis et de petites zones d'empâtement. Pour créer des effets de glacis intéressants, l'artiste doit multiplier les couches, chacune séchant entre chaque application nouvelle. De nombreux médiums et vernis peuvent être mélangés à la peinture pour améliorer sa translucidité et accélérer le séchage. Il n'est pas nécessaire de traiter en glacis la totalité d'un tableau : certaines parties réclament cette approche, d'autres seront mieux venues *alla prima*. Les effets de couleur obtenus par une succession de couches de glacis sont originaux.

LE FROTTIS

Dans cette technique, la peinture opaque est appliquée très librement par-dessus une couche antérieure, qui peut être une couleur appliquée normalement, un glacis ou un empâtement, les zones sous-jacentes apparaissant de façon irrégulière. Il existe plusieurs manières de réaliser un frottis, en appliquant une couleur sombre sur un fond clair, ou le contraire. La peinture peut être sèche ou assez fluide, appliquée au pinceau, ou frottée avec un chiffon, voire avec les doigts. Le frottis est une technique pratique, qui permet de créer d'intéressantes combinaisons de couleurs et de textures, dont les effets sont parfois inattendus.

ALLA PRIMA

La peinture directe, *alla prima*, consiste à appliquer la peinture opaque rapidement, en une seule séance. Les impressionnistes appréciaient cette méthode, particulièrement adaptée à la peinture de plein air, et les merveilleuses esquisses à l'huile de Constable ont également été réalisées de cette façon. Cette technique dispense de l'ébauche, et permet à l'artiste d'établir sa composition. Chaque tache de couleur est appliquée, plus ou moins, telle qu'elle apparaîtra au final. L'artiste peut mélanger ses couleurs directement sur la toile, mais l'intérêt de la technique réside dans la fraîcheur et dans la spontanéité de l'application de la matière. L'empreinte du pinceau ou du couteau est un important élément d'attraction. Le peintre doit prendre en compte en même temps les traits, les tons, les textures, les motifs et les couleurs. Pour assurer l'unité nécessaire, il est préférable de travailler sur toute la surface en même temps plutôt que de se concentrer sur une zone particulière.

LA PEINTURE FRAÎCHE

C'est une variante de la technique *alla prima*. Quand l'artiste n'achève pas une toile en une seule séance, la lenteur du séchage de l'huile permet de travailler la matière en plusieurs étapes, même si le tableau fini donne l'impression d'avoir été réalisé en une seule fois. La peinture fraîche permet les retouches et le mélange des couleurs, mais dès lors que la matière commence à sécher, il faut beaucoup d'habileté pour peindre par-dessus sans toucher aux couches inférieures. La peinture trop travaillée risque de paraître altérée, sale, et perdre sa fraîcheur d'origine. On peut travailler les détails dans la matière fraîche avec un fin pinceau de martre, et mélanger les couleurs avec un pinceau en éventail.

LES EMPÂTEMENTS

Il s'agit de l'application de la peinture par masses épaisses et fermes, par opposition aux glacis légers et aux frottis. Des peintres tels Rembrandt ou Rubens utilisaient des empâtements pour les rehauts, et leurs successeurs en généralisèrent l'emploi. La peinture épaisse conserve la marque du couteau ou du pinceau, ce qui crée un effet de texture supplémentaire. La peinture peut être utilisée telle qu'elle sort du tube, ou modifiée par l'ajout d'un médium adapté, comme l'Oléopasto. L'empâtement est souvent utilisé par les artistes qui travaillent *alla prima*.

LA PEINTURE AU COUTEAU ET LE GRATTAGE

La plupart des peintres se servent d'un ou de plusieurs pinceaux, mais d'autres instruments peuvent également être utilisés. Les couteaux à peindre, à manche coudé et lame métallique souple, répondent à de multiples fonctions. De tailles et de formes variées, ils sont généralement employés pour les empâtements, mais aussi pour mélanger les couleurs ou travailler la matière.

Ils sont également utilisés pour le grattage (*sgraffito*), technique qui consiste à créer des dessins ou des traits en grattant une couche de peinture pour révéler la couche inférieure ou le fond. Tout instrument pointu peut jouer le même rôle – un crayon ou le manche d'un pinceau, par exemple. Cet effet renforce les possibilités expressives de la matière picturale.

LA TEINTURE

La toile encollée peut être teintée avec une peinture diluée, qui rappelle les effets de l'aquarelle sur le papier. Elle diffère cependant de la coloration du fond en ce que la couleur translucide est appliquée sur un support encollé, et non sur un fond ou une couche de peinture, et que la texture de la toile transparaît. De nombreux artistes aiment sentir le grain de la toile. Dans certains cas, ils teintent une toile non encollée, ce qui n'est pas recommandé, l'huile et les produits chimiques de la peinture risquant de détériorer le support textile. Si vous voulez teinter une toile, pensez à la peinture acrylique.

DIVISIONNISME

Les couleurs peuvent être mélangées optiquement ou sur la palette. Cette découverte constitue la grande avancée des impressionnistes, qui découvrirent ultérieurement qu'ils pouvaient très efficacement représenter les teintes et la lumière en divisant la couleur. Ils travaillaient *alla prima*, appliquant de petites touches de couleur qui, regardées de loin, se combinaient pour former une autre couleur. Watteau et Delacroix ont été les précurseurs de cette technique, systématiquement et scientifiquement développée par les néo-impressionnistes, en particulier Georges Seurat, père du pointillisme. Cette technique consistait à appliquer de petites taches uniformes de pigment pur, de façon que la fusion chromatique totale se produise lorsque la peinture est vue à distance suffisante. La taille des taches de couleur est proportionnelle à celle du support. Ce procédé est judicieux pour certaines zones, et crée des effets subtils et intéressants.

TONKING

Du nom de l'artiste et professeur de peinture Henri Tonks, cette technique consiste à éliminer les surplus de peinture en passant doucement une feuille de papier absorbant (papier journal) sur la toile. Le papier est ensuite ôté, entraînant une couche de pigment. Ce procédé est pratique pour alléger une surface travaillée *alla prima*.

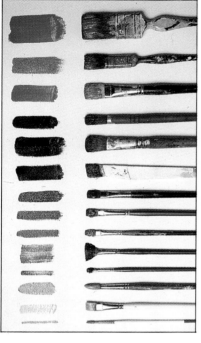

La gamme de pinceaux et la variété des effets sont immenses.
A gauche, quelques pinceaux et leur effet. *A droite*, empreintes d'un couteau en forme de poire, de taille moyenne.
De haut en bas : l'artiste a utilisé le plat de la lame ; le plat de la lame avec un mouvement de balancier ; quelques touches du bout de la lame ; un mouvement latéral par touches. Les effets suivants sont produits avec un petit couteau à pointe de diamant, et obtenus avec l'extrémité de la lame ; un effet de piqué de l'extrémité de la lame ; le plat de la lame.
Les traces de grattage dans la peinture rouge ont été exécutées avec le bout de la lame. L'orange a été étalé avec un mouvement de balancement, le rouge et le bleu mélangés avec un couteau plus large.

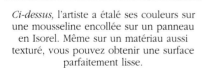

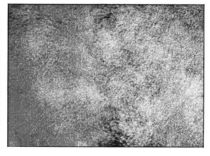

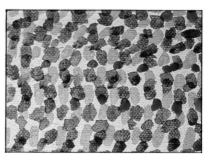

Ci-dessus, l'artiste a étalé ses couleurs sur une mousseline encollée sur un panneau en Isorel. Même sur un matériau aussi texturé, vous pouvez obtenir une surface parfaitement lisse.

Un mince film de couleur a été posé sur une toile à grain fin. *Ci-dessus,* un chiffon frotté sur la peinture fraîche crée une texture. Les ressources de la peinture à l'huile sont pratiquement infinis.

Des petites taches de couleur sont appliquées sur la surface *(ci-dessus);* vues à distance, elles se fondent en une nouvelle couleur. Cet effet optique a été exploité par les pointillistes.

A gauche, des pastels à l'huile jaune et rouge ont été travaillés par-dessus la peinture fraîche. *Ci-contre,* l'artiste a appliqué deux couches de pastel à l'huile – jaune et rouge vénitien – mélangé avec quelques gouttes d'essence de térébenthine. Le pastel à l'huile se mélange bien à la peinture à l'huile.

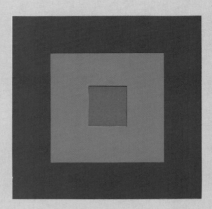

LES COULEURS FROIDES ONT TENDANCE À S'ÉLOIGNER ET LES COULEURS CHAUDES À RESSORTIR

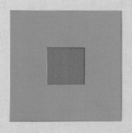 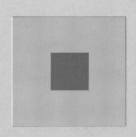 

LA PERCEPTION DES CARRÉS ROUGES IDENTIQUES VARIE EN FONCTION DE LA COULEUR ENVIRONNANTE

 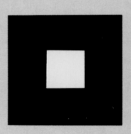

UN CARRÉ JAUNE SUR UN FOND BLANC PARAÎT PLUS GRAND QUE SUR UN FOND NOIR

 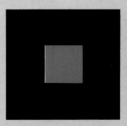

UN CARRÉ ROUGE SUR UN FOND BLANC PARAÎT PLUS PETIT QUE SUR UN FOND NOIR

CHAPITRE QUATRE

LES COULEURS DE L'ARTISTE

Les premières expériences de l'homme sur la couleur remontent aux peintures rupestres de grottes paléolithiques découvertes en France et en Espagne. Nos ancêtres utilisaient généralement des terres naturelles, qui produisaient différents tons de rouge, de jaune et de noir. Les verts et les bleus n'avaient pas encore été trouvés. Les artistes, aujourd'hui, disposent d'un vaste choix de couleurs de toutes qualités, dont certaines ne sont apparues qu'au cours de ces trente dernières années. Les historiens de l'art peuvent parfois dater un tableau en fonction des couleurs utilisées. Certains artistes sont des coloristes nés, alors que d'autres ne voient là qu'un aspect secondaire de leurs recherches sur la forme, la structure, la ligne. Des peintres comme Henri Matisse (1869-1954) et Paolo Uccello (1397-1475) possédaient un instinct pour les couleurs vives. D'autres, tels James Whistler (1834-1903) et Gwen John (1876-1939) leur préféraient une palette subtile et limitée. Ces derniers sont d'excellents exemples de peintres capables de créer un univers chromatique riche aussi bien à partir de quelques couleurs que d'une palette étendue.

La manière dont un individu perçoit la couleur est affectée par de nombreux facteurs. *A gauche*, exemples de la façon dont une couleur est modifiée par une couleur voisine.

La couleur est un sujet extrêmement complexe, et son étude couvre plusieurs disciplines, telles la physique, la chimie, la physiologie et la psychologie. Les physiciens étudient les vibrations électromagnétiques et les particules liées au phénomène de la lumière, les chimistes se préoccupent des propriétés des teintures et des pigments, les physiologues s'intéressent à la façon dont l'œil et le cerveau nous permettent de percevoir les couleurs, et les psychologues se penchent sur la conscience des couleurs et la manière dont elles affectent l'individu. L'artiste doit prendre en compte ces considérations, mais chaque discipline définit la couleur d'une façon différente, d'où de multiples confusions. Nous nous limiterons ici aux aspects de la théorie des couleurs qui peuvent vous être directement utiles.

300 ans se sont écoulés depuis qu'Isaac Newton a découvert le spectre des couleurs à l'occasion d'une expérience historique. Ayant dirigé un faisceau de lumière sur un prisme de verre, matériau plus dense que l'air, il constata que les rayons lumineux étaient distordus, ou "réfractés", en traversant le prisme, et la lumière divisée en bandes de couleurs, ce que nous appelons aujourd'hui le spectre solaire. Dans celui-ci, les couleurs vont du rouge au violet, en passant par l'orange, le jaune, le vert, le bleu, l'indigo. Si elles sont réunies au moyen d'une lentille de convergence, elles forment à nouveau un rayon lumineux blanc.

L'artiste est cependant plus concerné par la lumière reflétée que par la lumière directe – importante distinction qui explique les différences entre les couleurs de la lumière et celles des pigments.

Le cercle, la roue, la sphère des couleurs sont des techniques de présentation utilisées dans certaines théories. Différents cercles ont été suggérés, contenant 6 à 24 couleurs. Le cercle ci-dessous présente 6 couleurs : rouge, orange, jaune, vert, bleu et violet. Les couleurs complémentaires se trouvent en opposition sur le cercle. Le jaune et le violet, le rouge et le vert, par exemple, sont complémentaires. Chaque paire de couleurs peut être combinée pour donner un gris.

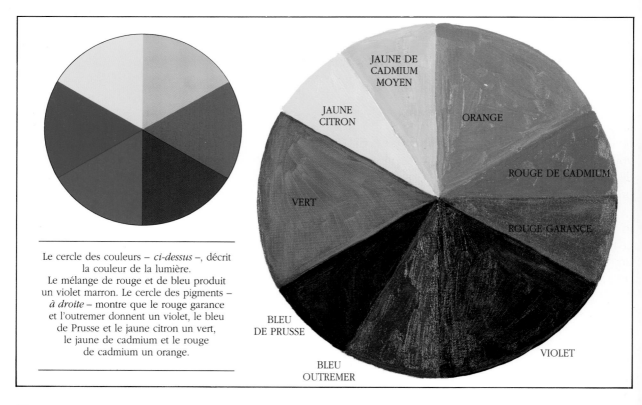

Le cercle des couleurs – *ci-dessus* –, décrit la couleur de la lumière.
Le mélange de rouge et de bleu produit un violet marron. Le cercle des pigments – *à droite* – montre que le rouge garance et l'outremer donnent un violet, le bleu de Prusse et le jaune citron un vert, le jaune de cadmium et le rouge de cadmium un orange.

JAUNE DE CADMIUM MOYEN

JAUNE CITRON

ORANGE

ROUGE DE CADMIUM

ROUGE GARANCE

VERT

VIOLET

BLEU DE PRUSSE

BLEU OUTREMER

Elles sont très importantes pour la perception de la couleur, et donc vitales pour l'art du peintre.

LES MÉLANGES

Les couleurs du spectre visible, ainsi que le blanc, peuvent être créées en mélangeant différentes quantités de lumière réfléchie par les rayons rouge, vert et bleu du cercle. On les appelle des couleurs primaires additives. Les complémentaires sont les couleurs des différentes parties du spectre pouvant être combinées pour donner de la lumière blanche. Lorsque les lumières colorées sont mélangées, la couleur résultant correspond à la longueur d'onde combinée des lumières mélangées. D'où le terme de couleur additive, spécifique à la couleur de la lumière.

L'artiste travaille cependant avec des pigments, et non avec la lumière. Lorsque des substances colorées tels les pigments ou les teintures sont mélangées, un autre processus se met en œuvre. Toutes les couleurs possèdent leur propre longueur d'onde, qui est celle de la lumière reflétée vers l'œil, et correspond à la longueur d'onde de la lumière colorée non absorbée par le pigment ou la teinture. Certaines longueurs d'onde sont "soustraites", et les restantes reflétées vers l'œil, ce qui donne la couleur du pigment. Lorsque deux pigments sont mélangés, ils absorbent certaines longueurs d'onde, et la lumière réfléchie correspond alors aux longueurs d'ondes non absorbées. C'est le mélange de couleurs "soustraites". La quantité de lumière que deux pigments associés reflètent est évidemment moins forte que la quantité que chacun renvoie séparément. Pour ces raisons, les artistes évitent de mélanger trop de pigments, car plus ils sont nombreux plus la couleur s'éteint.

Les primaires soustraites sont le cyan, le magenta et le jaune. Toute couleur peut être créée à partir de celles-ci. Mélangées, elles génèrent un noir. En impression, elles permettent de reproduire la totalité de la gamme de couleurs des magazines ou des affiches.

Les couleurs primaires de l'artiste sont le rouge, le jaune et le bleu. Ce sont des couleurs pures, mais il n'est pas vrai, comme on le prétend parfois, que l'on peut créer toutes les couleurs et leurs nuances à partir des primaires. Il est impossible, par exemple, d'obtenir un vert intense ou un pourpre. Les couleurs primaires réellement indispensables au peintre sont le rouge, le jaune, le bleu, le vert et le pourpre.

QUELQUES TERMES UTILES

Nuance est le terme qui décrit le degré de la couleur sur une échelle comprenant le rouge, le jaune, le vert et le bleu. Il existerait 150 nuances discernables. Elles ne sont pas réparties uniformément sur le spectre visible, parce que nous percevons mieux les couleurs de la zone rouge de celui-ci. La *saturation* désigne l'intensité d'une couleur. Elle peut être modifiée par divers facteurs, comme la force des couleurs voisines. L'*éclat* ou la *tonalité* font référence à la valeur de la couleur sur une échelle allant du clair au foncé.

LES COULEURS CHAUDES ET FROIDES

Le cercle des couleurs peut se diviser en deux groupes : les couleurs chaudes et les couleurs froides. Les verts-jaunes, les jaunes, oranges et rouges sont généralement classés parmi les couleurs chaudes, et les verts, bleus et violets parmi les froides. Cette classification est en partie subjective, et la perception de la température des couleurs varie selon les individus, certains étant presque insensibles à cette distinction. Cependant, en regardant les couleurs sous cet angle, vous pourrez vous apercevoir que les couleurs chaudes transmettent une sensation différente des couleurs froides. La distinction entre couleurs chaudes et froides est évidemment d'ordre esthétique, et non pas physique. Certaines sont faciles à classer, d'autres moins.

Les chaudes, par essence, sont les cadmiums, les jaunes de chrome, les rouges et leurs dérivés, particulièrement intenses et vives au sortir du tube. Malgré cette classification, on trouve cependant des bleus chauds et des rouges froids. L'outremer et l'azur sont des bleus chauds, alors que le garance et le rouge léger sont des rouges froids.

Le degré de chaleur ou de froideur d'une couleur dépend beaucoup de son environnement chromatique et de la teinte qui lui a été mélangée. Le jaune citron paraît froid auprès d'un jaune de cadmium chaud, mais le même serait jugé chaud à côté d'un bleu de Prusse.

LA PERSPECTIVE AÉRIENNE

Les couleurs chaudes et froides sont utiles à de nombreux égards. Lorsqu'elles sont situées sur le même plan, et à la même distance de l'œil, les couleurs chaudes avancent quand les couleurs froides s'éloignent, ce qui permet, en peinture, de créer un espace. L'artiste refroidit les couleurs du lointain, et réchauffe celles du premier plan. On peut l'observer dans les œuvres de nombreux paysagistes anciens, qui se servaient traditionnellement du bleu pour montrer des objets distants. Cette méthode, qui conjugue chaleur, froideur et contrastes des couleurs, tonalité et ligne, crée un sentiment d'espace, appelé perspective aérienne. Toutes les couleurs sont perçues dans une atmosphère. La poussière ou les gouttelettes d'humidité affectent la lumière dans l'atmosphère, et donc la façon dont nous percevons les couleurs, qui changent selon l'éloignement de notre œil. Les objets lointains semblent moins distincts, et prennent une teinte bleuâtre, seules les grandes lignes finissent par être visibles, et sont alors perçues comme un bleu pur. Les contrastes de tons sont plus importants au premier plan et moins forts dans le lointain, caractéristique exploitée dans la perspective aérienne.

LES COULEURS DISCORDANTES

Certaines relations de couleurs sont naturellement discordantes. La concurrence ou l'opposition des couleurs entre elles produisent des vibrations visuelles. Les discordances peuvent générer des effets très séduisants, exploités par quelques artistes contemporains. C'est le cas de la juxtaposition de deux couleurs complémentaires qui "hurlent". Cette relation devrait normalement être harmonieuse, mais une modification marginale peut la faire basculer dans la discordance. Si, par exemple, un bleu et un orange sont appliqués côte à côte, celle-ci peut résulter d'un bleu légèrement plus clair que l'orange. Les vibrations et discordances sont plus spectaculaires avec des couleurs complémentaires, ou presque, et lorsqu'elles sont intenses ou de la même valeur. Ces effets interviennent en bordure des zones de couleur, et sont amplifiés par la multiplication des liaisons chromatiques.

Deux couleurs peuvent être mises en opposition par égalisation des valeurs de tonalité ou création d'une inversion de l'ordre de tonalité naturel des nuances. Vous constaterez que certains couples de couleurs posent plus de problèmes que d'autres. Parmi les complémentaires, le violet et le jaune se révéleront sans doute les plus difficiles. Souvenez-vous que le violet doit être aussi léger, voire plus, que le jaune : il semblera alors presque blanc, et paraîtra avoir perdu sa nuance, mais l'addition de blanc ne modifie pas réellement la nuance d'une couleur.

Ces effets surprenants sont parfois très utiles et souvent exploités dans la peinture ou la publicité.

L'ATMOSPHÈRE PAR LA COULEUR

Les pigments peuvent être adoptés pour traduire le climat d'une scène, alors que la tonalité permet de matérialiser les formes. Nos sentiments jouent un rôle important dans notre perception de la couleur, et ces réactions émotionnelles peuvent servir à créer une atmosphère. Nous nous sentons tous de bonne humeur sous un soleil radieux, dont les rayons illuminent un vase de fleurs éclatantes. Notre réaction, en revanche, n'est pas la même par une pluvieuse journée d'hiver, où les passants s'abritent sous leur parapluie. Une photographie de ces deux scènes révélerait deux traits importants et contrastés : des couleurs légères et vives sur l'une, des couleurs unies, sombres et ternes sur l'autre. Un peintre doit savoir exploiter les éléments et en tirer le maximum. Les couleurs peuvent suggérer le bonheur, l'excitation ou la sérénité.

MAÎTRISER SA PALETTE

Trop de couleurs dans une peinture peut diminuer l'effet chromatique final au lieu de l'enrichir. Certaines des œuvres les plus célèbres présentent une très nette unité de tons. Turner, par exemple, peignait souvent dans les bleu gris, et se servait d'ocres dorés pour créer des contrastes. Essayez d'utiliser une seule couleur et quelques zones de nuances contrastées. Vous pouvez peindre une nature morte monochrome en sélectionnant des objets d'une seule couleur, comme le bleu, ou réunir quelques objets et les peindre tout en blanc ou gris. Un autre exercice consiste à mettre en scène une nature morte, et à faire une série de croquis. Travaillez à partir de ces croquis, loin du sujet lui-même, pour ne pas être distrait pas ses vraies couleurs. Ce genre d'exercice est très révélateur, et permet d'apprendre beaucoup sur la peinture et la couleur.

A droite, le peintre dispose une nature morte simple pour exercer sa perception des couleurs du spectre et des pigments. Il choisit délibérément des couleurs fortes. Dans le premier exercice, *à droite,* il utilise un jaune de cadmium, un rouge de cadmium, un bleu outremer et un noir. A partir de sa palette, il a pu obtenir de nombreuses couleurs pour les détails. Dans le second exercice, *en bas à gauche,* il renonce aux pigments nécessaires à la coloration des détails, et privilégie un ocre rouge pour le poivron. Puis il détermine l'orange et le bleu par rapport au rouge du poivron, afin que le résultat final soit aussi proche que possible du sujet. Dans le dernier exercice, *en bas à droite,* il se sert de diverses couleurs mélangées sur une palette qu'aurait appréciée l'artiste Walter Sickert (1860-1942). Le diagramme *ci-dessous* explique comment ces couleurs sont créées. Le rouge de cadmium, le jaune de cadmium et l'outremer sont mélangés pour composer les couleurs secondaires, puis pour donner un troisième niveau de couleur. L'artiste peut alors utiliser les couleurs 1, 2, 3, plus 4, 5 et 6. Dans ce cas, il s'est servi des couleurs 1, 4, 5 et 6.

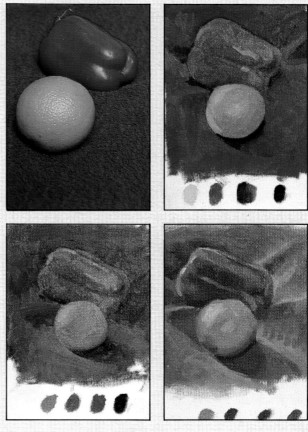

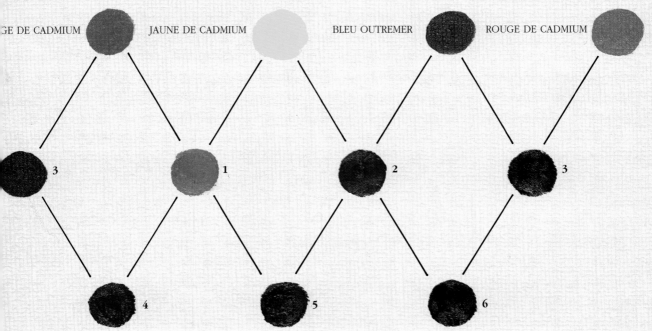

GE DE CADMIUM   JAUNE DE CADMIUM   BLEU OUTREMER   ROUGE DE CADMIUM

3   1   2   3

4   5   6

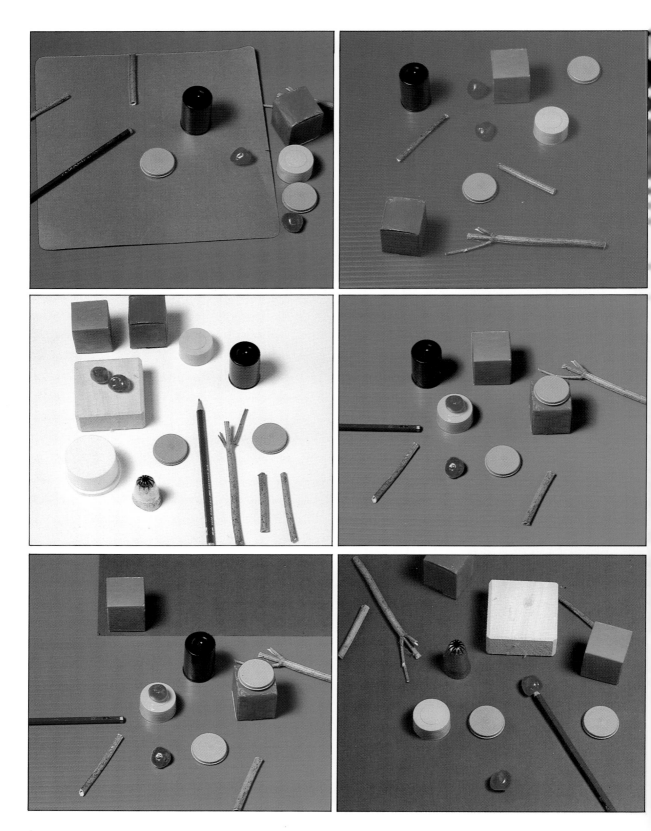

CHAPITRE CINQ

COMPOSER UNE IMAGE

L'œil d'un artiste est toujours en éveil, à la recherche de sujets ou d'expressions picturales dans les objets et les événements les plus quotidiens. Peindre ne tient pas uniquement à la dextérité manuelle ou à la connaissance des peintures, des pigments et de la composition chimique des fonds et des liants. C'est d'abord l'art de regarder, d'apprendre à voir, et d'interpréter ce que nous voyons. C'est seulement lorsque vous commencez à peindre que vous vous rendez compte du "peu" que vous avez su voir jusqu'alors. Le peintre observe le monde avec un regard neuf chaque jour, et l'artiste est capable de faire partager son émotion au spectateur. Une image ne se compose pas d'elle-même. L'artiste la construit, à partir de son environnement, de son expérience et de son imagination. Il sélectionne, traite, choisit et rejette, et c'est de ce processus que naît une vision originale.

Une intéressante façon d'étudier une composition est de réunir quelques petits objets de couleurs vives, et de les disposer sur des feuilles de papier de couleur *(à gauche)*. Déplacez ces objets pour analyser les relations entre les couleurs, et trouver une combinaison satisfaisante de formes et de couleurs.

Ci dessus, l'artiste a trouvé un sujet : la vue à travers la porte de son studio. Il s'est servi de peinture à l'huile légèrement diluée avec de l'essence de térébenthine pour tracer une esquisse rapide. La peinture est appliquée très librement, pour faire ressortir les contours du sujet.

Pour de nombreux débutants, le choix du sujet est difficile : ils ne savent tout simplement pas quoi peindre, alors que tout est bon pour le pinceau de l'artiste. Regardez autour de vous en lisant cette page, et identifiez des "images" : la texture de la table, la vue à travers la fenêtre, un ami appuyé contre le chambranle de la porte, une coupe de fruits, ou des fleurs fanées dont les pétales se répandent autour du vase…

Même en ville, vous pouvez trouver des sujets d'extérieur, par exemple dans un jardin.

Beaucoup de peintres pensent, à tort, que certains sujets sont plus légitimes que d'autres. Tout sujet peut inspirer un tableau, mais le choix dépend de vos goûts et de ce qui est à votre portée. Il est conseillé de commencer par des sujets de proximité immédiate.

La nature morte offre de merveilleuses possibilités d'explorer la couleur, la composition et la peinture. Les sujets sont là, à portée de main, et le choix est presque illimité. C'est également le seul matériau que vous puissiez entièrement contrôler. Il n'est pas soumis au temps, et vous pouvez travailler à votre rythme, à moins que vous n'ayez opté pour des fruits ou des fleurs, qui peuvent se dégrader. En choisissant les objets, pensez à des thèmes, à sélectionner des couleurs, des formes et des textures contrastées, et n'oubliez pas que vous pouvez jouer avec l'éclairage.

Les intérieurs font également de très bons sujets, qui vous permettent d'appréhender l'espace et la perspective. L'éclairage extérieur de la pièce ajoute une notion de contraste entre l'intimité et le monde extérieur, comme on l'observe dans les œuvres de Giovanni Bellini et Domenico Ghirlandaio (1449-1494), par exemple, aux délicieux paysages de collines couronnées de petits villages. De même, dans l'œuvre de nombreux grands peintres flamands, nous pouvons imaginer la vie d'une petite ville du début du XVe siècle en regardant par la fenêtre. Des peintres plus tardifs, comme Jan Vermeer (1632-1675), évoquaient l'extérieur par une fenêtre, une porte, ou l'irruption de la lumière du soleil au travers d'un carreau. La présence d'un personnage rend une scène intérieure plus vivante.

LES FIGURES ET PORTRAITS

Figures et portraits offrent à l'artiste une source d'inspiration sans fin. Les peintres se sont toujours intéressés au visage, et ont dépensé une ingéniosité sans limite dans l'exploration de l'infinie variété des formes humaines et des problèmes artistiques qu'elles soulèvent. L'artiste peint souvent des autoportraits, ce qui est un bon apprentissage, puisque, comme la nature morte, il est parfaitement contrôlé. Vous pouvez également demander aux membres de votre famille de poser pour vous, ce qui résoudra de nombreux problèmes, mais ne soyez pas trop exigeant avec vos modèles amateurs, et n'attendez pas d'eux qu'ils restent immobiles pendant des heures. Apprenez à faire des croquis, que vous compléterez par des photos.

LES PAYSAGES

Autre sujet d'une variété infinie : le paysage. Là encore, vous avez peut-être un sujet intéressant à votre porte, si vous habitez à la campagne. Ne pensez pas, cependant, que seul le spectacle de collines et de vallées constitue un paysage. Vous pouvez découvrir un sujet stimulant dans votre jardin ou un parc, ou même à travers votre fenêtre. Les lignes géométriques et les perspectives audacieuses d'une rangée de toits, un paysage industriel ou un bloc d'appartements sont autant de sujets intéressants et stimulants.

LE MATÉRIEL DE DOCUMENTATION

Le matériel d'étude est très important pour beaucoup d'artistes. Ayez toujours en poche ou à portée de la main un carnet de croquis et de quoi dessiner. Les transports quotidiens, le bureau, un déjeuner dans un parc, sont autant d'occasions de réaliser des croquis, qui serviront à de futures études et tableaux. Vous pouvez aussi utiliser d'autres matériaux qui ont séduit votre imagination, par exemple des illustrations de magazine, et, bien sûr, vos propres photos. La photographie n'est pas toujours prisée des amateurs de peinture, qui considèrent que l'appareil fait une sélection qui doit rester l'apanage du peintre. Le risque existe : une peinture réalisée d'après photo peut être terne et sans vie. Néanmoins, l'appareil peut aussi produire des distorsions, et certaines ont été exploitées par des artistes tels Degas et Walter Sickert. Là encore, dans la mesure où vous connaissez les contraintes, la photographie peut être un excellent outil de travail.

LA GÉOMÉTRIE DE L'IMAGE

Depuis l'Antiquité, les artistes se sont attachés aux proportions géométriques de leurs compositions. Les artistes de l'Egypte ancienne divisaient les murs sur lesquels ils peignaient en un réseau de verticales et d'horizontales le long duquel ils disposaient les

Découpez un cache dans un papier coloré pour "cadrer" et isoler la partie du sujet que vous désirez peindre. *A droite,* l'artiste se sert de deux morceaux de papier en L pour masquer une partie de son esquisse.

éléments de leur composition pour créer un effet harmonieux. Différentes formules ont permis aux peintres d'obtenir la cohérence et la stabilité qu'ils recherchaient. Le Nombre d'or est l'un des mécanismes les plus importants de codification des proportions. Il consiste en une ligne divisée de telle façon que le rapport entre la partie la plus petite et la partie la plus grande est identique à celui existant entre cette dernière et le tout. Permettant de segmenter les lignes et de créer des formes équilibrées, en pratique, il se traduit par le rapport 8/13, et il est étonnant de constater que cette proportion est souvent réitérée dans l'art et dans la nature. Connu depuis l'époque du mathématicien grec Euclide, le Nombre d'or fut particulièrement utilisé pendant la Renaissance italienne. On le retrouve dans de nombreuses œuvres picturales européennes dès le XVe siècle.

FORMAT ET DIMENSIONS

Le format d'un tableau est un élément important de la composition, souvent sous-estimé. Lorsque vous construisez une image, n'oubliez pas de tenir compte de la forme et des dimensions du support. Les formes suggèrent des émotions et des atmosphères. Un carré traduira la stabilité, alors qu'un rectangle long et étroit évoquera le calme. Les tableaux sont peints sur des supports aux formes très diverses, mais le plus souvent rectangulaires.

Les dimensions du support sont importantes. Ainsi êtes-vous parfois surpris de voir dans un musée une œuvre que vous ne connaissiez que par ses reproductions : elle vous semble tellement plus grande, ou plus petite, que vous ne l'imaginiez… En choisissant les dimensions d'une peinture ou d'un dessin, pensez aux contraintes du sujet et du médium choisi. Par exemple, le crayon est plutôt adapté au petit format. A grande échelle, vous rencontrerez des problèmes. Les artistes travaillent parfois sur des formats aux dimensions particulières, simplement parce que c'est tout ce dont ils disposent, et leur peinture tient compte de ces paramètres, avec des conséquences quelquefois malheureuses.

Si vous achetez des panneaux ou des toiles déjà préparés, vous serez limité par les dimensions proposées sur le marché. Si vous préparez vos supports vous-même, vous êtes beaucoup plus libre. En changeant de temps en temps de format, par exemple en vous lançant dans une toile de grande dimension si vous avez l'habitude des petits tableaux, vous apprendrez beaucoup.

L'ESPACE ET L'ÉCHELLE EN PEINTURE

Depuis la Renaissance, les artistes européens ont tenté de résoudre les problèmes de représentation de la profondeur sur une surface en deux dimensions, notamment en utilisant la perspective linéaire ou aérienne pour créer l'illusion d'un espace tridimensionnel qui aille au-delà même du plan du tableau. La connaissance de ces questions est utile, bien que non essentielle, car il est tout à fait possible de donner l'illusion de l'espace par des méthodes empiriques tenant de la simple observation.

La perspective linéaire repose sur tant de présupposés que son illusion est en grande partie matière de foi. Elle fonctionne parce qu'il est enseigné que c'est ainsi que les choses doivent être vues. Mais d'autres procédés peuvent nous aider à percevoir un espace dans un tableau. Ainsi, un objet disposé en haut du plan de la toile apparaîtra plus éloigné qu'un objet placé en bas. L'échelle est un autre élément important. Par exemple, si deux objets semblables ou reconnaissables se trouvent dans le même tableau, et que l'un est beaucoup plus gros que l'autre, nous supposons qu'il est plus proche de nous, parce que nous avons été éduqués dans la tradition de la perspective mathématique de la Renaissance. Il est intéressant de noter que dans les œuvres du XIIe au XIVe siècle, le donateur, ou la personne qui a commandé le tableau, est toujours représenté plus petit que les saints.

Autre procédé qui contribue à l'illusion de l'espace : la superposition des figures, méthode appliquée par les Grecs de la période classique sur les frises processionnelles du Parthénon. Dans une autre culture, on pourrait penser qu'il ne s'agit pas d'une personne derrière une autre, mais d'une figure partiellement représentée. Une distinction d'importance pour les peintres funéraires égyptiens, qui ne voulaient certainement pas envoyer dans l'au-delà des personnages auxquels aurait manqué la moitié du visage.

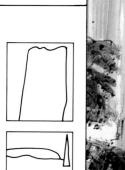

Toutes les compositions peuvent s'analyser en termes de géométrie. Le tableau *en haut à gauche* met fortement l'accent sur les verticales, alors que celui *à sa droite* joue sur les horizontales. *Au milieu à gauche,* la composition est en diagonale, celle *de droite* est triangulaire. *En bas à gauche,* une composition très remplie, et *à droite* une zone "vide", qui contraste avec un premier plan très animé.

LE MASQUE

L'inclusion d'éléments isolés dans un tableau se révèle souvent délicate, en particulier lorsqu'on peint en extérieur. Le sujet peut alors être isolé grâce à un masque, qui est un simple cadre découpé dans du papier ou du carton. Vous le déplacez devant vous, au niveau des yeux, l'avançant ou le reculant, pour isoler les parties de la scène qui vous intéressent. Si vous n'avez pas de masque à votre disposition, vous pouvez vous servir de vos mains. Un appareil photo peut également permettre de resserrer la vision. Certains artistes utilisent un appareil Polaroïd pour vérifier la mise en place de leur nature morte, ou conserver la trace d'une disposition qui doit être reconstituée ultérieurement.

Le carnet de croquis est très pratique pour étudier l'agencement et les compositions : de simples traits peuvent souligner une caractéristique importante et attirer l'attention sur une difficulté potentielle.

RYTHMES ET ACCENTS

Toute œuvre est réalisée selon un angle de vision, et c'est la relation entre les objets représentés et cet angle qui crée la tension nécessaire. Dans certains tableaux, l'intérêt est concentré au centre de l'image, et le reste semble vide. Dans d'autres, le mouvement est dans les angles, sur un côté, vers le haut ou tout en bas. Certaines toiles sont en revanche très remplies. Les zones en mouvement sont modulées par des plages de calme, et l'œil se déplace selon la volonté de l'artiste. Parfois, l'absence de concentration du mouvement laisse l'œil libre de se promener à sa guise.

Le peintre ne doit pas mésestimer l'importance des zones vierges dans une peinture, et résister à la tentation de remplir tout espace vide. Le terme *vide* est en soi inapproprié, car aucune partie d'un tableau n'est complètement vierge. Un espace de couleur sans relief, où la toile ou le fond apparaissent, permet de définir les formes voisines et fait partie de la géométrie de l'image.

L'artiste peut attirer l'attention sur les rythmes et les accents en mettant en valeur les lignes de construction, ou selon la manière dont les images sont disposées dans le cadre. Les angles du tableau peuvent jouer un rôle efficace dans cette recherche.

De nombreux moyens permettent d'indiquer le mouvement. L'artiste habile manipule la vision du spectateur, dont l'œil est encouragé à suivre un cheminement dans, et même hors du tableau. La composition n'existe réellement que lorsque la surface de l'image est clairement définie, ce qui oblige le peintre à prendre des décisions sur le travail qu'il va entreprendre selon des paramètres précis. Nos ancêtres, qui travaillaient sur les parois de leur caverne, n'avaient pas à résoudre ce genre de problème...

L'OMBRE ET LA LUMIÈRE

Toutes les images que nous percevons contiennent une lumière réfléchie. Sans lumière, nous ne verrions rien. Elle constitue un élément important dans la peinture. Utiliser pour révéler des formes, sa direction est importante. Si elle tombe latéralement sur un personnage, elle ne met en valeur que certaines parties de celui-ci. Toutes les formes pleines se composent de plans, et nous comprenons les formes selon la façon dont la lumière les éclaire. Même une surface courbe peut être considérée comme un nombre infini de petits plans. Lors des changements de plan, la couleur est modifiée, le plus souvent du fait de la différence

d'angle d'incidence de la lumière. Ces changements sont importants en peinture, car ils permettent d'exprimer les objets en trois dimensions.

La façon dont les changements de plan se produisent dépend de la nature du matériau. Des substances dures et cristallines donnent des altérations angulaires très marquées, tandis qu'un tissu mou créera des changements doux et onduleux. La lumière révèle donc la forme, et peut devenir elle-même sujet de la peinture. Les motifs qu'elle génère dissolvent les formes, et nous permettent de la percevoir.

Les ombres sont tout aussi utiles pour décrire l'espace et donner certaines indications sur les espaces occupés par les formes. Elles dépendent de la façon dont le sujet est éclairé. Par exemple, un paysage peint lors d'une fin d'après-midi hivernale sera marqué d'ombres longues projetées par le soleil d'hiver très bas dans le ciel. Un paysage d'été sera lumineux, et presque dénué de toute ombre. Celui-ci aura des couleurs plus vives et plus fortes, alors que la scène d'hiver ne présentera presque aucun contraste. A l'intérieur, la lumière peut provenir du soleil, par une fenêtre. Les ombres projetées par les montants peuvent être incorporées à l'image, et les grandes taches lumineuses servir à créer des points d'attraction ou à mettre en valeur des caractéristiques importantes. Le sujet d'une nature morte ou d'un portrait peut se placer de manière à exploiter ces effets lumineux. N'oubliez pas cependant que la lumière change vite, et que vous devrez donc travailler tout aussi rapidement.

Les thèmes sont innombrables, et un artiste peut réaliser de nombreuses études sur un même sujet. Certains consacrent leur existence à un ou deux sujets seulement. *A gauche*, trois études sur la représentation de figures selon la lumière.

LE MOTIF

Le motif doit émaner naturellement de ce qui est représenté dans le tableau. Néanmoins, certains peintres ont une perception innée des motifs répétitifs, et peuvent les percevoir et les exploiter même lorsqu'ils ne nous semblent pas évidents a priori. Le motif résulte de la répétition d'une couleur ou d'une forme. Il se trouve partout dans la nature : des galets sur une plage, les feuilles d'un arbre, les rangées de plants de vigne au flanc d'une colline. En accentuant le motif, l'artiste sélectionne et rejette, ce qui est abandonné est aussi important que ce qui est montré.

LA TEXTURE

La texture englobe de nombreux aspects de l'art de la peinture : texture des matériaux, tissage de la toile, marques du pinceau, frottis, etc. Elle peut appartenir au sujet : feuillage d'un arbre, chevelure, tissus. Par contraste, la texture d'une peau douce et d'une chevelure ou d'un velours nous permet de prendre conscience de la surface des matières reproduites.

LES ESPACES NÉGATIFS

Le concept d'espace négatif est à la fois important et très utile. Les espaces négatifs sont les espaces entre les objets. En y faisant attention et en les dessinant, l'artiste peut aboutir à un dessin d'ensemble plus précis. Il sera ainsi amené à dessiner ce qui est, plutôt que ce qui devrait être, et tout procédé qui oblige le peintre à porter plus d'attention à son sujet est utile. Exercez-vous à dessiner en n'utilisant que les espaces, et non pas l'objet. Vous serez surpris du résultat, même si vous rencontrez quelques difficultés. En observant le sujet de cette façon, vous tendez automatiquement vers l'abstraction, et votre image deviendra un ensemble de formes. L'artiste doit posséder un

Les trois études *ci-dessus* illustrent différentes approches du même sujet : des arbres dans la nature. Même si le sujet a souvent été traité, un artiste trouvera toujours une manière nouvelle de l'aborder.

sens profond de l'organisation et de la disposition, qui donne sa cohérence à une œuvre d'art.

La silhouette est un autre aspect de l'espace négatif. Les objets en silhouette les uns par-dessus les autres créent des formes étranges et superbes, à l'impact puissant. Quelques artistes jouent consciemment de ces éléments dans leur composition, alors que d'autres s'en servent plus intuitivement. Des formes en silhouette bien marquée peuvent produire une dynamique intéressante, attirant l'attention sur des caractéristiques remarquables et guidant le regard du spectateur. Elles génèrent un fort sentiment de dynamisme. Une bonne composition dépend de multiples facteurs, dont l'artiste doit être conscient dans sa recherche de l'harmonie, de la beauté et du sens.

CHAPITRE SIX

LES PAYSAGES

Le paysage offre de merveilleuses ressources à l'exploration de la peinture à l'huile. Rien ne remplace le travail "sur le motif", et il est important de peindre en plein air aussi souvent que possible. Si vous n'avez pas assez de temps, vous pouvez opter pour la technique *alla prima*, une méthode directe, plus difficile qu'il ne paraît, car elle exige de faire la différence entre l'essentiel et l'accessoire. Comme tous les éléments du tableau – couleur, forme et tons – sont traités simultanément, vous devez être sûr de ce que vous faites et capable de maîtriser votre pinceau. Outre sa fraîcheur et sa vigueur, cette technique permet de réaliser un tableau en une seule séance.

Une autre approche de la peinture en extérieur consiste à réaliser une esquisse polychrome, éventuellement à l'acrylique (qui sèche très rapidement), et de terminer le travail en atelier. La peinture à l'huile légèrement diluée, ou même directement au sortir du tube, permet également des esquisses rapides sur papier.

L'huile est un médium aux possibilités infinies, convenant aussi bien aux lavis qu'aux empâtements. L'artiste peut travailler la peinture fraîche, ou appliquer des couches successives une fois la matière sèche. Des empâtements épais et opaques de pigment pur contrastent avec des zones de couleur plus subtiles, et les couleurs sont modifiées grâce à de fins glacis.

Une ferme du Derbyshire

L'artiste a travaillé à partir d'une esquisse exécutée sur place. Il ne l'a pas suivie fidèlement, et a réorganisé sa composition pour créer une image plus équilibrée et plus attrayante. Comme le montre le croquis original, le sujet était plutôt orienté vers la droite, et la composition a été nettement recentrée. Le tableau se développe du premier plan jusqu'à mi-distance, puis vers un horizon assez élevé. Le peintre a conservé l'amorce de portail, qui rapproche le plan du tableau du spectateur. C'est un bon exemple de la manière dont un brusque changement d'échelle contribue à donner un sentiment d'espace. La courbe du chemin guide le regard jusqu'à la ferme, sujet central du tableau. La composition repose sur deux diagonales qui se croisent au-dessus de la partie centrale, délimitant deux formes symétriques : la colline verte et le triangle du chemin. Ce procédé géométrique simple est très efficace. La tonalité légère du chemin annonce celle, tout aussi claire, de la maison.

L'artiste a utilisé un panneau d'aggloméré recouvert d'un apprêt acrylique, et "cassé" la blancheur de celui-ci au moyen d'un ocre jaune frotté sur le support. Travaillant sur un fond coloré, moins présent que le blanc, il peut mieux juger de la précision de ses couleurs. La teinte choisie confère une tonalité plus chaude au tableau.

L'artiste a peint très rapidement, arrêtant les grands paramètres de sa composition dès son esquisse au fusain, un matériau agréable dont la réactivité incite à travailler de façon enlevée. Ce dessin très esquissé contribue à fixer la composition, et permet de créer des points d'ancrage. Le sujet est complexe, et ses composantes (arbres, champs, ciel, etc.) n'offrent pas de repères aussi francs que ceux que l'on peut trouver dans une nature morte. Il est intéressant de réfléchir à la manière dont on peut réduire un sujet aussi complexe à une série de lignes de force que nous percevons comme un jeu d'ombre et de lumière.

1 L'artiste a réalisé plusieurs dessins de la scène, qui lui serviront de référence.

LE FOND COLORÉ

Dans la première illustration – *à droite* –, l'artiste prépare un fond teinté. Il utilise une peinture acrylique très diluée à l'eau, et l'étale rapidement à la brosse. Cette matière séchant très vite, il peut donc presque immédiatement appliquer la couche suivante. La peinture à l'huile peut être travaillée à l'acrylique, mais le contraire est impossible. Dans la seconde illustration – *en bas à droite* –, l'artiste emploie la peinture à l'huile pour teinter un fond : une couleur ombre diluée à l'essence de térébenthine, qu'il applique sur la toile et étale au chiffon. Ce fond nécessite au moins un jour de séchage. Dans la *dernière illustration*, le peintre applique un fond multicolore. Là encore, le support est une toile, et le fond est étalé avec un chiffon. Un fond multicolore est utile lorsque vous savez exactement ce que vous voulez faire, et souhaitez, par exemple, obtenir un ton chaud pour la campagne et un ton froid pour le ciel.

2 La composition définitive
est élaborée à partir
de plusieurs dessins
– *page précédente en bas* –,
et l'artiste effectue quelques
corrections pour obtenir une
image équilibrée et attrayante.
Il travaille sur un fond teinté,
définissant les grandes lignes
au fusain, puis avec une peinture
diluée.

3 A grands coups de brosse
– *à droite* –, l'artiste commence
à ébaucher les grandes zones
de couleur. Il travaille
rapidement, essayant de retrouver
en atelier le geste enlevé
de ses esquisses sur le vif.

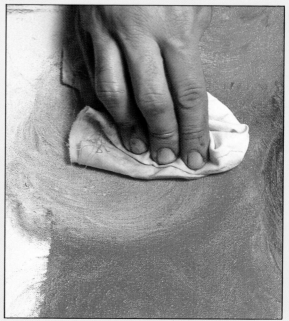

4 *A droite :* l'image commence
à émerger de la matière
grossièrement appliquée
et texturée. L'artiste travaille
en même temps toute la surface
du tableau, du ciel au premier
plan et du chemin
aux frondaisons.

5 Dans le détail – *ci-dessous* –
nous pouvons observer
que la peinture
a été incomplètement mélangée
sur la palette. A chaque coup
de brosse, l'artiste applique
plusieurs couleurs, créant
un effet richement modulé
au lieu d'un aplat de couleur.

6 L'artiste applique de petits
coups de brosse pour suggérer
les feuillages des masses
d'arbres et de buissons.
Il travaille la peinture fraîche,
évitant de trop frotter
les couleurs pour conserver
leur fraîcheur. La peinture
trop travaillée devient terne
et sale.

7 *A droite :* l'artiste utilise
un petit pinceau pour peindre
les marches, sur le côté
de la maison. Ici, comme
dans le tableau final, le ton
doré du fond transparaît
sous la peinture appliquée
de manière légère, et unifie
la composition dans une sorte
de brillance dorée.

Une ferme du Derbyshire

Les outils de l'artiste

Un panneau en Isorel
71,1 x 91,4 cm préparé
avec un fond acrylique
puis coloré avec un ocre
jaune acrylique.
Pinceaux arrondis
et plats nᵒˢ 5, 7 et 10.

Couleurs : vert permanent,
ocre jaune, terre de Sienne
naturelle, terre de Sienne
brûlée, outremer,
vert anglais nᵒ 3, oxyde
de chrome, noir d'ivoire
et blanc.

Au jardin

Même les citadins peuvent peindre en extérieur, dans un jardin ou un parc. La peinture d'après nature est un exercice sur lequel chaque artiste devrait revenir de temps en temps. Peindre directement sur le motif pose néanmoins de nombreuses difficultés. La lumière change en permanence, et, pour ce tableau par exemple, l'artiste a été surpris par une averse. Courageux, il a terminé son tableau sous un parapluie. Une peinture exécutée en plein air présente une spontanéité et une force de conviction auxquelles il est difficile d'atteindre en atelier.

La peinture d'après nature révèle à quel point la photographie écrase la perspective, modifie les couleurs et ne fixe que l'instant. Cependant, l'artiste qui travaille d'après nature doit continuellement pratiquer des corrections pour tenir compte des changements d'une lumière qui met en valeur, tour à tour, divers éléments de sa composition. Le paysage est un immense sujet. En l'occurrence, l'artiste a travaillé en ville, entouré de maisons, ce qui explique le champ de vision assez limité. Il aurait pu privilégier d'autres scènes, mais il a choisi un sujet juste à ses pieds : des plantes et un pot posés dans un coin pavé du jardin. Il a été attiré par le motif de la dalle, la tension géométrique de l'emphase verticale contrastant avec les contours plus doux des plantes et du pot, les couleurs attrayantes, et les différentes nuances de gris de la pierre, qui créent une rupture intéressante avec le vert du cognassier et la terre cuite du pot.

Le tableau repose sur une solide géométrie, et la composition a été étudiée avec précision et vigueur avant l'application de la couleur, l'artiste ne disposant pas de beaucoup de temps – une averse menaçant –, et souhaitant achever son travail avant que la lumière ne change. Cet exemple met en évidence l'importance d'un dessin simple mais précis, exécuté avec une conviction issue de l'expérience acquise pendant des années de travail et d'observation.

1 L'artiste a travaillé dans un petit jardin de ville, par une journée humide. Vous pouvez peindre en extérieur, même en ville.

2 L'artiste doit travailler vite, car la pluie menace et la lumière change rapidement – *ci-dessus*. Il définit d'abord les principales zones de couleur d'une fine couche de peinture diluée, presque un lavis.

Mais, très vite, il réalise que la composition doit être modifiée, et corrige la ligne du tuteur.

3 Avec un mélange onctueux de blanc et de jaune de Naples – *ci-dessous* –, il remplit les zones plus claires du pavé. Avec des bleus et des rouges, il crée une gamme de gris subtils.

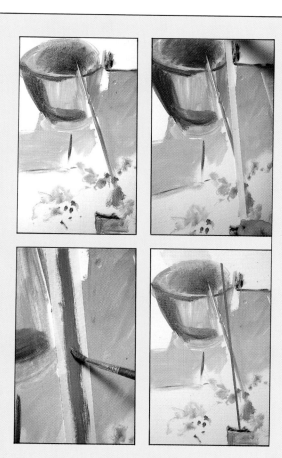

4 Pour le détail – *ci-dessus au centre* –, l'artiste utilise une brosse chargée et un coup de pinceau enlevé pour créer un rehaut en empâtement sur la bordure du pot.

5 *Ci-dessus* : nous pouvons observer les différentes façons dont la peinture a été appliquée, la toile teintée contrastant avec la peinture grossièrement frottée et un empâtement épais.

LES CORRECTIONS

Le *premier détail* illustre le problème qui s'est posé à l'artiste : la ligne du tuteur, exactement parallèle à celle du joint de la pierre, à droite, était visuellement dérangeante et orientait le regard vers l'extérieur de l'image. Dans la *seconde illustration*, il utilise un ruban de masquage pour définir une ligne plus ferme. Puis colle une autre bande de ruban à côté, et trace une ligne entre les deux longueurs de ruban, qu'il enlève ensuite pour dégager une ligne nette.

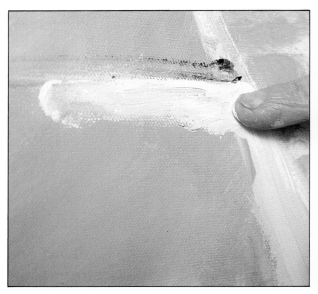

6 Les grandes zones de couleur et les principales valeurs tonales sont très vite déterminées – *ci-dessus*. Le temps étant compté, l'artiste travaille ses couches de couleur *alla prima*.

7 Pressé, il se sert de ses doigts pour fondre les couleurs – *ci-dessus à droite*.

8 Dans le détail – *à droite* –, nous observons la richesse de la surface peinte, qui exploite les possibilités d'une brosse bien particulière pour créer une impression de feuillages.

Les outils de l'artiste

Une toile tendue
toute prête 76,2 x 50,8 cm.
Préparée pour la peinture
à l'huile, elle possède
un fini doux et "plastique".
Pinceaux plats en soies
de porc n°s 5 et 12,
et pinceau synthétique
doux n° 12.
Couleurs : gris de Payne,
vert anglais n° 3, vert
de chrome, ombre brûlée,
ombre naturelle, bleu
de cobalt, vert de cadmium,
oxyde de chrome, blanc,
jaune de Naples et rouge
de cadmium.

Au jardin

Arbres morts

L'intérêt de ce sujet réside dans les formes et la texture des arbres : les gris argentés des troncs abattus, les fortes verticales de ceux restés debout, leur reflet dans l'étang, les diagonales des arbres tombés. Les sombres profondeurs des zones ombragées autour de la pièce d'eau contrastent avec l'ouverture sur le petit paysage lumineux que l'on remarque vers la droite. Le regard est guidé vers cette zone grâce au sentier qui oblique vers la gauche du tableau. Elle trouve écho dans les collines à l'horizon, le chemin et la voûte des arbres, qui forment un demi-cercle, équilibré par la courbe de la rive de l'étang d'une part, et la voûte des frondaisons d'autre part. Ce thème tout en courbes se retrouve également dans la coupe de l'arbre mort. Le centre est mis en valeur par la manière dont le tronc oriente l'œil vers le bouquet d'arbres, situé presque au milieu de l'image. Ces courbes et ces verticales sont à leur tour équilibrées par la forte horizontale qui court au fond de l'étang, jusqu'à la base de la petite ferme. La composition est stable, et les éléments spatiaux, manipulés avec sûreté, confèrent un sentiment d'espace tout à fait convaincant.

L'artiste a réfléchi attentivement aux textures et à l'aspect des différentes surfaces. Au pinceau, il a traduit la surface lisse de l'étang ombragé, la luxuriance de l'herbe et de la végétation du premier plan, le feuillage de la voûte des arbres, la texture lisse des troncs et l'aspect anguleux de la vieille souche.

La lumière joue également un rôle important : à gauche, le paysage brillamment éclairé contraste avec la fraîcheur de la zone, à droite. La chaleur du soleil est suggérée par l'effet de lumière pommelée qui filtre à travers les arbres. Le fond doré confère une tonalité chaude à l'ensemble.

L'artiste a exploité les qualités graphiques des pinceaux. Les tons dessinent les formes, et, à certains endroits, la technique d'étalage de la peinture les renforce. Regardez, par exemple, les brefs traits de pinceaux très animés représentant le feuillage, ou la façon dont la peinture épaisse et croûteuse envahit le tronc argenté de l'arbre tombé, les lignes verticales qui décrivent les réflexions dans l'eau, et les horizontales qui tracent le plan lisse de l'étang.

1 Ce croquis au feutre – *à droite* – est l'une des nombreuses esquisses réalisées sur place.

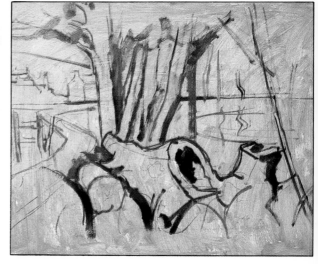

LE FOND APPARENT

Dans les détails *ci-dessous*, on peut observer comment l'artiste laisse la couleur dorée du fond apparaître à travers la peinture, pour teinter les couches successives et harmoniser l'ensemble. Vous pouvez constater qu'il n'est pas nécessaire de couvrir de peinture la totalité de la toile. Les zones vierges peuvent se révéler aussi importantes que les autres.

2 Le fond ocre est travaillé au fusain de saule – *centre gauche*. Les lignes sont renforcées par de la peinture noire diluée, qui sert également à indiquer les ombres profondes du premier plan.

3 *A gauche*, un détail montre l'utilisation des qualités graphiques du pinceau pour la description des formes.

4 L'image se construit rapidement – *à droite*. L'artiste travaille sur toute la surface plutôt que de se concentrer sur une zone particulière. Il introduit de petits accidents de couleur, tel le gris argenté de l'écorce dans le feuillage et la verdure, sur toute la toile. Cette couleur inattendue produit une impression de lumière naturelle.

5 Dans ce détail – *à gauche* –,
observez la vigueur du coup
de pinceau de l'artiste,
qui divise la surface en facettes
de lumière et de couleur.
Le peintre utilise une petite
brosse à poils doux
pour corriger son dessin.

6 L'eau est un sujet difficile
pour beaucoup d'amateurs.
Ici – *en bas à gauche* –,
elle est suggérée par un réseau
de lignes horizontales
qui tracent la surface,
et de lignes verticales
qui créent une impression
de profondeur.

7 Les touffes d'herbe
au premier plan sont signalées
par des taches de peinture
posées avec une brosse à soies
courtes – *ci-dessous*.
Avec une matière épaisse
et des coups de pinceau très
nets, l'artiste confère une forte
présence à ce plan, qui crée
un effet de profondeur.

Arbres morts

Les outils de l'artiste

Le support : la face lisse d'un panneau en Isorel 61 x 72 cm, passée au papier abrasif puis recouverte d'un film d'apprêt Roberson spécial Isorel. L'artiste a utilisé onze couleurs : blanc, jaune Windsor, ocre jaune, terre de Sienne naturelle, rouge léger, terre de Sienne brûlée, vert de cadmium pâle, vert de chrome, vert de Prusse, vert jaune et noir d'ivoire. Un pinceau à bout rond n° 5 et un petit pinceau rond en martre pour les détails. Il a mélangé ses couleurs sur une grande palette en acajou.

Le Promontoire

Pour ce tableau, l'artiste a élégamment accordé son sujet au support. Il a choisi un carton toilé 76,2 x 50,8 cm, très en hauteur, qui accentue la verticalité du sujet. Ce format et la nature du motif s'harmonisent pour mettre en valeur l'impression d'escarpement qui l'avait séduit à l'origine.

Il a travaillé la peinture à l'huile de façon peu courante : une huile très diluée à la térébenthine, qu'il a laissé sécher entre chaque application. Pour accélérer le séchage, il a ajouté du Liquin, un diluant très siccatif. La finesse de la couche peinte explique que la texture du carton entoilé apparaît à certains endroits. La marque du pinceau est absente : l'artiste a créé des textures originales en dessinant au crayon dans la peinture et en la grattant avec un scalpel. Il a ensuite projeté et laissé couler la matière sur la surface puis frotté certaines zones avec un morceau de tissu.

Il s'en est tenu à une palette limitée, le sujet réclamant une gamme froide, un mélange de bleus, de gris et de verts, qu'il a réalisé sur sa palette. Si le gris est souvent considéré comme une teinte triste, il peut se transformer en une couleur étonnante entre les mains d'un coloriste audacieux, et permet de superbes effets. Il peut également servir de contrepoint à des couleurs plus positives.

Ce tableau illustre le traitement réussi d'un sujet assez ambitieux. L'artiste a été séduit par la composition, la simplicité chromatique, et la possibilité d'expérimenter des textures en travaillant la peinture à l'huile en aplats et en frottis.

Un rapide regard sur les tableaux reproduits dans cet ouvrage révèle la variété des approches qu'autorise l'huile. Certains peintres travaillent minutieusement, d'autres étalent leur matière avec générosité. Certains sont fascinés par la ligne ou les formes, d'autres par la couleur. Vous avez certainement vos propres goûts. Restez néanmoins toujours conscient de la richesse du médium, et n'hésitez pas à expérimenter de nouvelles techniques et des approches différentes. Ainsi vos tableaux ne perdront pas de leur vitalité. Ensuite, vous pourrez revenir à votre manière favorite, enrichi par ces expériences différentes. L'essentiel est d'éprouver du plaisir à jouer avec la matière.

1 Les formes architecturées et les textures contrastées de ce paysage côtier n'attendaient que d'être peintes.

2 *A droite*, l'artiste a dessiné sur son carton toilé à la fine texture avec un crayon 3B bien taillé. Il a travaillé directement sur le support, sans esquisse préparatoire.

3 La peinture, diluée à l'essence de térébenthine, ne masque pas le trait de crayon léger – *à droite*. L'artiste a laissé sécher la peinture avant l'application de la couche suivante. L'ajout de Liquin accélère le temps de séchage.

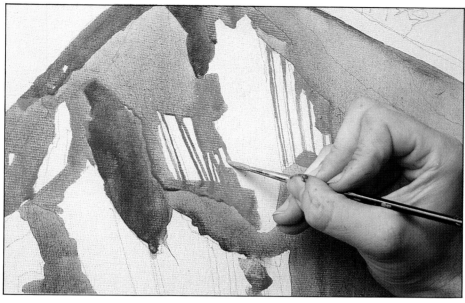

4 *Ci-dessous :* un mélange de noir d'ivoire et d'un peu de vert anglais a permis de reproduire les silhouettes détaillées des arbres qui couronnent le promontoire. L'artiste travaille avec un pinceau de martre très fin pour atteindre au degré de détail qu'il recherche.

CRÉER UNE TEXTURE AU CRAYON

Dans le détail *ci-dessus*, l'artiste utilise un crayon bien taillé mais doux (3B) pour créer la texture des fissures des pentes rocheuses. De nombreux peintres inexpérimentés se sentent prisonniers de leurs médiums. Ils n'aiment pas les mélanger, et pensent qu'une "vraie" peinture ne doit faire appel qu'à un seul d'entre eux. En fait, le seul critère est le succès de la technique employée. Utilisez-la si vous pensez atteindre l'effet recherché.

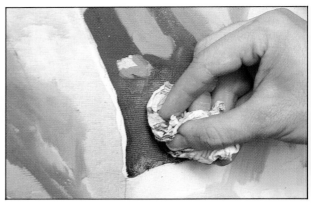

5 A cette étape – *ci-dessus* –, l'artiste laisse sécher sa peinture avant d'appliquer les couches suivantes. Il a travaillé sur la totalité de la surface, mais n'a pas encore mélangé les couleurs : les frontières restent encore bien définies. Cet échafaudage méthodique de fines couches de couleur rappelle les techniques des premiers peintres à l'huile.

6 En travaillant sur la matière sèche, l'artiste explore différents procédés pour suggérer la géologie complexe du promontoire – *en haut*. Il tamponne de la peinture fraîche au chiffon.

7 Dans le détail – *ci-dessus* –, il utilise une peinture diluée et une brosse à poils raides pour projeter la peinture sur la toile et créer un effet moucheté.

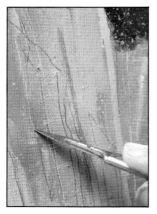

8 *A gauche*, l'artiste se sert d'un scalpel pour gratter la surface de la peinture et mettre à jour la toile blanche du support. Cette technique est appelée *sgraffito*.

9 Avec un mélange opaque de gris de Payne et de blanc, l'artiste souligne les parties éclairées – *à droite* –, sur lesquelles il passe ensuite le doigt, *page ci-contre*.

Le Promontoire

Les outils de l'artiste

L'artiste a utilisé
un panneau de bois toilé
76,2 x 50,8 cm
dont la surface est finement
grainée. Il a travaillé
sur la base de six couleurs :
vert anglais n° 3, blanc
de titane, bleu de cobalt,
gris de Payne, noir d'ivoire,
et ocre jaune.
Il a également utilisé
du Liquin à base de résine
d'alkylant et beaucoup
d'essence de térébenthine.
La texture a été créée avec
un crayon 3B, un chiffon
et un scalpel. Une brosse
en poil de martre n° 6,
une brosse en poils
synthétiques souples n° 6
et deux brosses plates
en soies de porc n°ˢ 4 et 7.

La Côte de Crète

Ce tableau représentant un port du nord de l'île a été inspiré par une série de photographies prises lors d'un séjour en Crète un début d'automne, lorsque le temps commence à être troublé par des vents violents venus d'Afrique. Les photos ont été réalisées à la fin d'une journée marquée par le vent, la pluie et quelques rayons de soleil. Sous un ciel lourd, la mer renvoie une lumière puissante et théâtrale. Le bandeau d'eau lumineuse occupe toute la partie centrale de la composition.

Divisions horizontales rectangulaires et formes triangulaires réitérées sont la clé de cette composition. Aucune des lignes importantes n'est en réalité horizontale. L'image est perçue comme trois formes triangulaires simples, sur lesquelles les autres éléments du tableau sont venus s'imposer. Les langues de terre, en haut et en bas, orientent le regard vers le point focal de l'image, une zone d'eau très éclairée qui brille et scintille, à gauche du tableau.

Le support est un panneau en Isorel recouvert d'une mousseline fixée avec une colle animale. La surface est bien texturée, et la couleur intéressante : le textile ressemblant à une toile de lin, l'artiste a su l'exploiter en renonçant à un fond blanc. Sa couleur froide et neutre est une composante importante du tableau, qui lui confère son unité.

La texture du support est assez grossière, et requiert énormément de matière pour la recouvrir complètement, ce qui a influencé la technique de l'artiste. Celui-ci a exploité les qualités structurelles de la peinture, c'est-à-dire la manière dont elle peut être appliquée sur le support, un des aspects les plus passionnants de la peinture à l'huile. Il a mélangé ses médiums, et utilisé ce qu'il avait à portée de main : crayons, pastels à l'huile, chiffons, peinture appliquée directement au sortir du tube, pour créer les effets désirés. Tous ont contribué à mettre au point ces effets, qui confèrent à l'œuvre son énergie, et traduisent les sentiments de l'artiste pendant son travail sur l'image.

1 Une photographie – *à droite* – peut servir de point de départ ou d'aide-mémoire, mais ne doit pas être copiée.

2 L'artiste écrase la peinture, un mélange épais de bleu de cœruleum et de blanc, avec une brosse chargée, maniée avec vigueur – *à droite*. La surface rugueuse étant très absorbante, il n'hésite pas à utiliser beaucoup de matière. Cependant, la couleur chaude et très présente du support et la manière dont sa trame absorbe la peinture ajoutent une dimension supplémentaire à l'effet final.

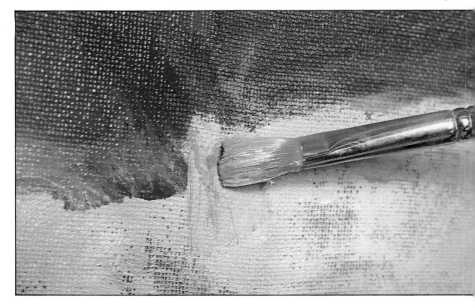

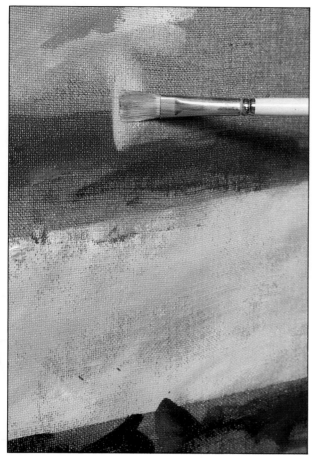

LA PEINTURE
AU TUBE

Ici, l'artiste utilise la matière de la façon
la plus élémentaire, en l'appliquant directement
au sortir du tube. Elle acquiert alors une densité
qui crée un relief riche de possibilités.
Les épaisseurs reflètent la lumière, et la réfractent
différemment des aplats. La peinture blanche
appliquée ainsi traduit la façon dont la lumière
se réverbère sur la surface ridée de l'eau.
Une masse épaisse de jaune de chrome contraste
avec la fine trame de la mousseline.

3 Nous pouvons observer
– *ci-dessus* – comment
la peinture adhère au support.
En certains endroits, la surface
est complètement masquée,
à d'autres, elle apparaît
par taches. Ici, l'artiste applique
un film de couleur transparent
pour le ciel.

4 La géométrie du tableau
– *à droite* – est très simple :
trois formes triangulaires,
sur lesquelles se superposent
les détails de la composition.

5 L'huile est une technique aux possibilités infinies. L'artiste peut utiliser les glacis, les empâtements ou la peinture fraîche pour créer des effets, ou bien attendre que la matière ait séché pour appliquer de nouvelles couches.
Ci-dessus, il pose des touches de blanc directement au tube, et les écrase au doigt.

6 *Ci-dessus :* l'artiste mélange une ombre naturelle avec du noir, et se sert d'un chiffon pour créer un effet d'écrasement au premier plan. La peinture adhère différemment à la surface, ce qui laisse apparaître, par endroits, l'ocre du support, modifiant du même coup la couche sombre.

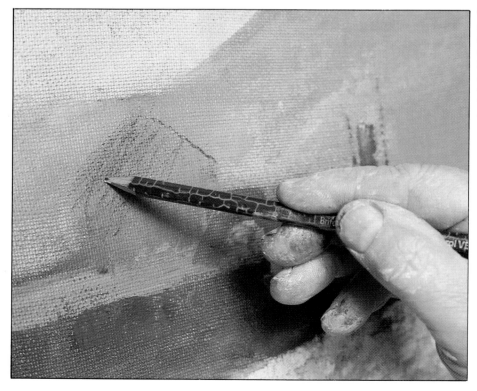

7 Des zones opaques aux empâtements épais contrastent avec des aplats, et les couleurs peuvent être modifiées par des glacis légers. *A gauche :* l'artiste revient sur son travail, et utilise un crayon pour redéfinir ses formes.

8 *A gauche :* l'artiste utilise un pastel à l'huile jaune pour créer une texture et une couleur dans l'eau. Il écrase le pastel dans la peinture pour obtenir un effet moucheté, le jaune relevant le bleu complémentaire. Le tableau final – *ci-dessous* – montre comment un artiste peut mettre peu à peu au point une composition intéressante à partir d'une photographie sans grand intérêt.

Les outils de l'artiste

La sélection des couleurs a été réalisée sur un morceau d'Isorel garni d'une mousseline encollée à la colle chaude. Les couleurs : bleu de cœruleum, blanc, jaune de chrome, terre de Sienne brûlée, terre de Sienne naturelle, ombre naturelle, jaune de Naples et outremer. Brosse plate n° 12.

La Côte de Crète

Paysage d'hiver

L'artiste a su capturer l'atmosphère venteuse et de désolation de ce lieu, en travaillant en atelier à partir de croquis réalisés sur place. Le ciel bas et chargé lui a semblé un bon sujet. Il a réalisé un croquis au crayon-feutre, et hâtivement marqué les contrastes les plus forts, tels ces arbres se détachant sur le fond du ciel. Il a également pris quelques annotations chromatiques au cas où il reviendrait plus tard sur place. Un croquis peut remplir plusieurs fonctions : il est à la fois le journal de l'artiste et une source de référence. Par exemple, lorsque le peintre souhaitera à une autre occasion introduire un paysage de tempête ou des arbres en hiver dans le fond d'un tableau, il se servira de ces notes. Le croquis aide également à concentrer son attention, de même que les notes écrites. Si vous pensez avoir noté les principaux éléments d'une scène par l'observation, sachez cependant que le regard et la réflexion que nécessitent le croquis vous feront jeter un œil totalement différent. Dès que vous commencerez à dessiner, vous serez surpris de voir apparaître certaines valeurs, certains détails, certains aspects de la composition. Vous êtes obligé de vous concentrer, d'observer, de regarder une fois encore pour vérifier que vos yeux ne vous trompent pas.

Lorsque l'artiste retourne à son atelier, il n'est pas pour autant esclave de son croquis. Celui-ci est alors pesé par rapport à d'autres éléments, puis renforcé, grossi, réduit ou souligné. Le peintre crée ainsi un tableau qui lui appartient entièrement.

La composition du tableau est simple, divisée en trois zones nettes : le premier plan, les collines dans le lointain, et le ciel, qui, avec les arbres à mi-distance, les relie. Toute une série de diagonales se déploient à travers la toile : la diagonale de la bordure de la prairie et des lignes des collines en particulier. La surface du tableau forme ainsi un réseau complexe de formes géométriques entrelacées, qui poussent le regard à parcourir sa totalité. De nombreux peintres manient presque inconsciemment cet aspect de l'organisation d'un tableau, alors que d'autres sont plus attentifs à la géométrie sous-jacente. La meilleure manière de vous exercer à percevoir ces relations est d'étudier les œuvres d'autres artistes, et de les analyser en ces termes. Une fois ces relations identifiées, vous pourrez les utiliser dans vos propres réalisations.

1 Dans cette esquisse rapide, réalisée sur place, l'artiste a concentré un grand nombre d'informations.

RÉUTILISER UNE VIEILLE TOILE

Ici, l'artiste a peint par-dessus une vieille toile, une méthode qui peut être utilisée par souci d'économie, mais qui, dans ce cas, était un moyen de rendre le tableau encore plus animé. L'ancien support agit comme un fond multicolore, et offre par ailleurs une surface d'excellente qualité. Placez l'ancien tableau à l'envers pour que l'image d'origine ne vous gêne pas. Les zones de couleur non recouvertes peuvent ajouter un intérêt supplémentaire à l'œuvre nouvelle.

2 Les grandes lignes de la composition commencent à émerger du réseau complexe de lignes et de couleurs de l'ancien tableau – *à gauche*. L'artiste pose des traits noirs bien marqués, qui lui serviront de repères.

3 Dans ce détail – *à gauche* –, nous constatons le jeu complexe des couleurs, qui évolue au fur et à mesure que la matièrè est frottée – avec beaucoup de liberté – sur la peinture existante.

4 La surface épaisse du tableau original – *à droite* – crée un fond texturé : la peinture onctueuse brossée sur le sommet du mur de pierre adhère sur les parties saillantes tout en laissant transparaître les couleurs d'origine.

5 En mettant au point en même temps la totalité du tableau, l'artiste conserve la maîtrise de l'image définitive, et ne se perd pas dans une superposition d'images – *ci-dessus*.

6 La tache de lumière éclatante au-dessus de l'horizon est un important élément de la composition. *Ci-dessus à droite :* l'artiste a utilisé un mélange d'ocre et de blanc.

7 Avec un pinceau en poil de martre nᵒ 6 et un noir – *ci-dessus* –, le peintre accentue la silhouette des arbres, et commence à représenter les branches.

8 Avec un mélange de vert anglais et de noir, il réalise, par frottis, les aiguilles des conifères – *à droite* –, en respectant leur orientation.

Les outils de l'artiste

Un panneau en Isorel 61 x 76,2 cm déjà peint. Les couleurs : jaune de cadmium, ocre jaune, terre de Sienne naturelle, terre de Sienne brûlée, outremer, vert anglais n° 3, bleu de cobalt et oxyde de chrome. Le peintre a utilisé des pinceaux plats n°s 8 et 10, et une fine brosse en synthétique pour les détails.

Paysage d'hiver

Vue des toits

La plupart d'entre nous habite en ville. Compte tenu de l'ur-
banisation croissante, nous nous retrouvons de plus en plus
éloignés des sujets paysagers traditionnels. Les collines, les
vallées et coteaux sont accessibles à quelques heureux élus,
les autres devant se contenter de week-ends ou vacances
pour se rapprocher de la nature. La ville offre cependant de
nombreuses opportunités à ceux qui savent regarder et restent ouverts à l'inédit. Hors les paysages miniatures des parcs
et des jardins, nous ne devons pas négliger le paysage urbain
lui-même. La recherche du pittoresque aux XVIIIᵉ et XIXᵉ
siècles (par les romantiques) a conduit certains artistes à
considérer que les seuls sujets légitimes de la peinture paysa-
gère étaient les vallées profondes, les montagnes imposantes
ou les scènes bucoliques italiennes idéalisées jadis par Claude
Lorrain (1600-1682) ou Nicolas Poussin (1594-1665). Au XXᵉ
siècle, des myriades de mouvements picturaux ont fait leur
apparition, et le consensus sur le bien-fondé d'un sujet s'est
rompu. L'artiste est libre de son choix. Tout sujet peut convenir, surtout si vous disposez de peu de temps. La vue depuis
votre fenêtre est là, chaque soir, lorsque vous rentrez de votre
travail, et pendant les week-ends, ce qui vous permet de travailler à votre tableau dès que vous avez un peu de temps.

Le paysage urbain constitue de multiples perspectives et
autant de défis. La vue représentée ici est un bon exemple de
la manière dont un lieu banal peut devenir une difficulté picturale. La disposition complexe de ces toits doit être étudiée
avec soin et faire appel à vos connaissances de la perspective
pour parvenir à une représentation réaliste et juste.

Ici, l'artiste a divisé le tableau en deux zones bien dis-
tinctes : la moitié de la toile est consacrée au ciel vide, et
l'autre à un jeu de motifs. La zone travaillée se compose des
formes géométriques des toits, des poteries de cheminée et de
surfaces en zinc nervuré, de gris froids et de blanc animé par
quelques rares touches de rouge. Le peintre n'a pas craint de
laisser vierge une grande partie de son tableau, pour créer un
contraste dynamique avec la masse des toits. Le point de vue,
la distribution des formes et la façon dont elles créent des
motifs topographiques et abstraits font de ce tableau une
œuvre à la fois ambitieuse et passionnante.

1 Le sujet
est complexe,
et l'artiste
a commencé
par un dessin
assez détaillé.

2 *A droite :* l'artiste ébauche
les parties foncées
avec un mélange de noir
et d'ombre naturelle diluée
à l'essence de térébenthine.

L'UTILISATION DU VIDE

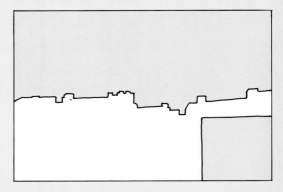

Dans ce tableau, l'artiste a résisté à la tentation
de remplir tout l'espace, et laissé vierge une plage
où l'œil revient et se repose. Par contraste,
les espaces vierges mettent en valeur les parties
remplies. Dans l'œuvre du même artiste présentée
page 93, toute la surface est occupée,
ce qui génère une impression d'activité intense
et d'énergie latente très différente
de celle de ce tableau.

3 Il ébauche ensuite les tons légèrement plus clairs avec un gris de Payne – *ci-dessus* – appliqué au pinceau en poil de martre n° 3. Ces teintes foncées serviront de base aux tons plus légers.

4 Les tons moyens sont créés par un mélange de blanc, d'ocre jaune, de rouge de cadmium ou de terre de Sienne brûlée ajouté aux tons foncés de départ – *ci-dessous*.

5 Le tableau *ci-dessus* est
à l'évidence une représentation
concrète du sujet,
mais aussi une construction
abstraite de formes
géométriques.

6 *Ci-dessous :* le détail révèle
la finesse de la couche
de peinture diluée
et la manière dont elle réagit
sur le support lisse.

7 L'artiste complète les détails
à l'aide de rouges et de beiges
riches mélangés à un gris
de Payne, de l'ocre jaune
et du blanc – *à droite.*
Dans l'étape finale
– *page ci-contre* –, le ciel

a été enrichi d'un mélange
de blanc de titane et de bleu
de cœruleum, adouci par un fin
glacis d'ombre naturelle.

Les outils de l'artiste

Un panneau en Isorel 55,9 x 66 cm passé à la peinture émulsionnée mélangée pour moitié à un vernis émulsionné également. Le mélange produit une surface lisse, sur laquelle le peintre a travaillé à partir de huit couleurs seulement : bleu de cœruleum, gris de Payne, noir d'ivoire, jaune de cadmium, ocre jaune, rouge de cadmium, terre de Sienne brûlée, ombre naturelle et blanc de titane. Les pinceaux : martre n° 6 et synthétique n° 10.

Vue des toits

CHAPITRE SEPT

LES PORTRAITS

Le portrait est une source d'inspiration infinie et fascinante ; cependant, la richesse de ce sujet est presque égale à l'abondance des problèmes qu'il pose. L'artiste doit représenter les tons subtils de la chair, la diversité des traits et expressions, ainsi que les multiples détails qui marquent l'âge. La première difficulté consistera à trouver un modèle. Les professionnels se font payer, ce qui peut se révéler très coûteux si vous travaillez lentement. Vous pouvez également persuader les membres de votre famille de poser, mais peu de gens réalisent à quel point une séance de pose peut être fatigante, et une fois l'enthousiasme initial passé, beaucoup commencent à trouver des excuses…

Vous-même serez sans aucun doute votre modèle le plus économique et le plus coopératif, ce qui explique pourquoi tant d'artistes au cours des âges sont revenus à l'autoportrait. Le problème le plus ardu est peut-être celui de la ressemblance. La capacité à l'obtenir dépend en grande partie du hasard. Certains artistes sont très doués, tandis que d'autres, brillants par ailleurs, n'y parviendront jamais, tout en peignant des portraits très révélateurs de la psychologie du modèle. La meilleure approche consiste à ignorer la notion de ressemblance, et à traiter le sujet comme vous le feriez pour tout autre, une nature morte par exemple. Essayez de discerner dans votre modèle une construction de plans révélés par la lumière, peignez ce que vous voyez, et vous serez surpris de parvenir à une ressemblance assez fidèle.

Evie assise

Ce charmant portrait d'enfant a été peint d'après nature. La principale difficulté consiste à faire poser l'enfant. L'artiste qui s'intéresse à ce type de sujet doit faire preuve d'une grande patience et de beaucoup de ruse s'il veut arriver à obtenir une ressemblance. Dans le cas présent, le jeune modèle avait très envie de poser, et le peintre a retenu son attention en bavardant avec lui et en faisant de nombreuses pauses. Il a saisi les principaux détails au cours d'une première séance, et les a complétés plus tard, de mémoire ou à l'aide des croquis exécutés. Par ailleurs, il disposait d'une photo Polaroïd.

Les traits des enfants sont très différents de ceux des adultes, plus modelés. Chez eux, c'est davantage l'expression qui compte. Quelques grandes règles peuvent néanmoins vous permettre d'atteindre à une ressemblance rigoureuse. Notez la silhouette toute en jambes et les épaules étroites. Evie a adopté une position penchée en avant caractéristique, ses membres sont fins, moins formés que ceux d'un adulte.

L'utilisation de la peinture acrylique, qui sèche rapidement, permet de noter un très grand nombre d'informations en un court laps de temps. Le peintre a tracé une ébauche rapide au fusain, qui saisit néanmoins les principaux détails. Le fusain offre de nombreux avantages, dont celui de s'effacer aisément. Si le sujet est complexe, et qu'il vous faut travailler longtemps la composition, choisissez le fusain pour votre ébauche.

L'un des éléments les plus plaisants du tableau est la petite chanson des couleurs – l'enfant portait par hasard une robe aux trois couleurs primaires – le rouge, le jaune et le bleu.

L'ÉBAUCHE AU FUSAIN

Dans ces deux illustrations – *ci-dessous* –, l'artiste utilise un bâtonnet de fusain pour l'ébauche. Le fusain imprime une ligne souple, s'efface rapidement, et peut créer des pleins et des déliés, des ombres et des lumières, ce qui est très utile dans un dessin.
Dans la deuxième illustration, il se sert d'un chiffon pour fixer le fusain, qui, étant une matière pulvérulente, pourrait salir les couches de peinture à venir. Une autre technique consiste à le fixer avec un fixatif spécial.

1 La fillette a choisi elle-même sa pose. Les enfants s'ennuient et s'agitent facilement, aussi l'artiste a autorisé de fréquentes pauses, et achevé la peinture grâce à des croquis et une photographie.

3 Avec un ton chair
(rouge de cadmium, blanc
et un peu d'ocre jaune),
il passe au frottis les avant-bras
– *à droite* –, sur lesquels il trace
de fines bandes de jaune.
Pour le spectateur, ce mélange
suggère la chaleur de la chair.

2 L'artiste commence
par une ébauche au fusain.
Pour tirer le maximum
de cette séance de pose,
il travaille très vite, utilisant
un chiffon pour étaler les
couleurs acryliques dominantes
– rouge, jaune et bleu –
directement au sortir du tube.

4 Après avoir rapidement
ébauché les mains à l'acrylique
– *ci-dessous* –, l'artiste dessine
au crayon sur la peinture sèche.

5 Il se reporte sans cesse
à son dessin, et fait attention,
par exemple, aux volumes
entre les bras,
et entre ceux-ci et les jambes
– *ci-dessous à droite*.

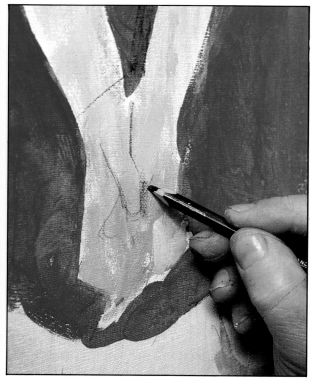

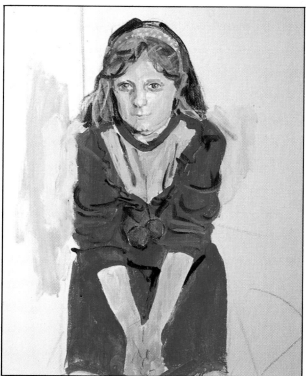

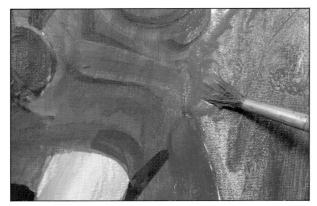

6 Il ne travaille plus d'après nature, et peut désormais appliquer la peinture à l'huile. Le fond – *à gauche* – est brossé avec un mélange d'ombre naturelle et d'ocre. Le peintre a mélangé un gris de Payne à des touches de rouge de cadmium dans le frais, pour créer les différents tons d'un parquet.

7 Il détaille les yeux – *ci-dessous à gauche* –, sans précision excessive.

8 Dans le détail – *ci-dessous* –, il se sert d'un couteau pour le motif des chaussettes. L'épais empâtement enrichit la texture et met en valeur le motif.

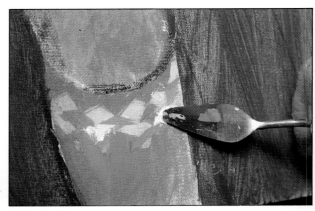

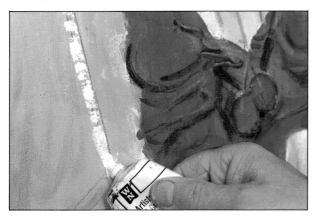

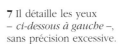

9 Il trace une épaisse ligne de blanc, directement au sortir du tube – *ci-dessus* –, pour restituer avec précision le panneau de la porte. Les méthodes d'application de la peinture sont diverses : chiffon, brosse, couteau, voire le tube de peinture.

Exercez-vous pour multiplier les textures et les effets.

10 *Ci-dessus :* l'artiste utilise un pinceau fin pour éclaircir les cheveux. Le crayon sur peinture sèche crée une texture supplémentaire. L'image finale – *page ci-contre* – est très ressemblante, et a su capter le charme et la jeunesse du modèle. L'artiste a bien équilibré sa composition : les espaces du fond sont des éléments positifs, qui génèrent des volumes intéressants et offrent un support solide aux couleurs vives du sujet.

Les outils de l'artiste

Le support est un panneau
en Isorel toilé
71,1 x 50,8 cm.
Les couleurs, jaune
de cadmium, outremer,
blanc, terre de Sienne brûlé,
ombre pure, rouge de
cadmium, ocre jaune et gris
de Payne, sont appliquées
avec un pinceau
à bout rond n° 7
et un petit pinceau en
martre. L'artiste a également
utilisé un crayon,
un couteau et un chiffon.

Evie assise

Michael

Cette peinture est en fait une esquisse à l'huile. L'artiste, pressée d'ébaucher les grandes lignes du sujet, a choisi de travailler rapidement, de manière enlevée, avec une peinture diluée à l'essence de térébenthine. Elle a commencé par un croquis rapide au fusain, sans fixatif, car elle aime que la poudre de ce matériau joue avec les couleurs. En une demi-heure, elle a tracé les grands contours du sujet. Le blanc du support a été recouvert en totalité, car le peintre se plaît à travailler avec des couleurs aux tons proches, qui ne ressortent pas très bien auprès du blanc. Elle a indiqué les volumes au moyen de couleurs chaudes et froides et de traits. Les couleurs chaudes ayant tendance à apparaître en premier plan, elle a utilisé un jaune de chrome pour les parties du torse et les épaules exposées à la lumière, et réservé les couleurs froides aux zones du fond, en particulier la ligne entre le mur et le personnage, comme, par exemple, vers l'épaule droite.

L'Isorel est un matériau lisse, et sa texture très serrée reste apparente sous la finesse des couches. La matière a été travaillée sans problème sur cette surface finement tramée, tout en préservant la qualité des traits. L'amour du trait est évident dans les coups de pinceau animés, qui ont su saisir le désordre des boucles de la chevelure.

L'artiste a travaillé en trois étapes. Elle a d'abord déterminé les grandes zones de couleur pour éteindre l'éclat du support tout en créant une base de repères chromatiques. Puis elle a corrigé le dessin en fouillant les articulations des membres et autres zones où les os affleurent à la surface de la peau. Enfin, elle s'est attaquée à la peau et aux muscles. Elle a ainsi traité le corps de manière anatomique, de l'intérieur vers l'extérieur.

Ce tableau est un bon exemple de l'utilisation de la peinture à l'huile pour le croquis. Le peintre a dilué la matière à l'essence de térébenthine, ce qui la rend plus facile à travailler, la fait sécher plus rapidement, et économise les pigments. Elle a utilisé les mêmes couleurs et matériels, comme si elle devait travailler dans le détail ce portrait.

Vous remarquerez une légère différence dans la pose entre le tableau final et la photo. Le modèle s'est en effet tassé pendant la séance. Plusieurs pauses ont eu lieu, et il est difficile de retrouver chaque fois la même position. Ce sont des problèmes que l'on rencontre souvent dans le portrait.

1 Le modèle est encouragé à trouver une position confortable, car l'artiste veut reproduire son visage au repos. Elle a choisi un angle de trois quarts.

2 Les grands traits sont marqués par des lignes légères au fusain – *ci-dessous*. Par-dessus, l'artiste a travaillé d'un pinceau très enlevé.

3 L'artiste atténue l'intensité du blanc du support à l'aide d'une fine couche de couleur, qui diminue les contrastes de tonalité – *à droite*.
Puis elle commence à mettre au point les détails du visage. Insatisfaite, elle les efface avec un chiffon imbibé d'essence de térébenthine.

4 Elle redessine les yeux, le nez et la bouche avec une peinture fluide appliquée au pinceau fin – *ci-dessous*. On sent ici qu'elle s'intéresse à la qualité du trait, comme en témoigne la laque

garance utilisée pour dessiner l'intérieur du bras droit. Le blanc du support transparaît toujours, créant un effet lumineux. Certaines lignes de fusain sur le bras gauche ont été écrasées.

DESSINER AU PINCEAU

Le dessin est souvent synonyme de crayon ou de crayon et d'encre. Mais le pinceau a souvent été utilisé, depuis le Moyen Âge, pour dessiner. C'est un outil expressif qui peut tracer des lignes sinueuses comme des pleins et des déliés, très pratique pour décrire les différentes articulations. Les artistes commencent souvent par une esquisse, qui sera ensuite totalement recouverte par la peinture. Si vous travaillez avec de la couleur diluée, il est facile de se perdre dans la surface du tableau, et vous devrez parfois retracer les lignes de l'esquisse pour vous réorienter. Elles pourront être modifiées ou introduites plus tard.

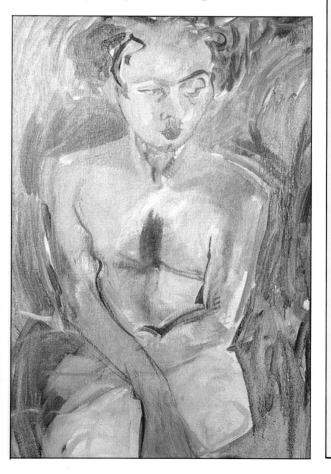

5 Un mélange de laque garance
et de ton chair renforce le plein
des lèvres modelées
– *à gauche.*
L'artiste apprécie les contrastes
entre l'empâtement et la couche
fine, dont elle se sert
pour concentrer l'attention
sur les lèvres.

6 Le détail *ci-dessus* montre
la façon dont la couche mince
révèle le grain de la toile
et la qualité
presque calligraphique des traits
dessinés par le peintre.

Les outils de l'artiste

Un carton toilé à grain fin
91,4 x 61 cm. Ce support
économique peut s'acheter
préparé pour l'huile
ou l'acrylique.
Les couleurs : jaune de
cadmium, jaune de Naples,
ocre jaune, ton chair,
gris de Payne, rouge
de cadmium, bleu
de cœruleum,
laque garance légère
et ombre naturelle.
Pinceaux plats à bout rond
en soies de porc n°s 2 et 5,
et pinceau en poil
de martre à long manche
n° 3.

7 *A gauche :* l'artiste ajoute
des rehauts magenta
sur la chevelure. L'empreinte
du pinceau exprime une qualité
à la fois graphique et
descriptive. Sur l'image finale
– *à droite* –, nous pouvons
observer la façon dont les lavis
à l'huile peuvent permettre
de réaliser une esquisse rapide,
qui est à la fois précise
et propose une réponse
expressive à la personnalité
du modèle.

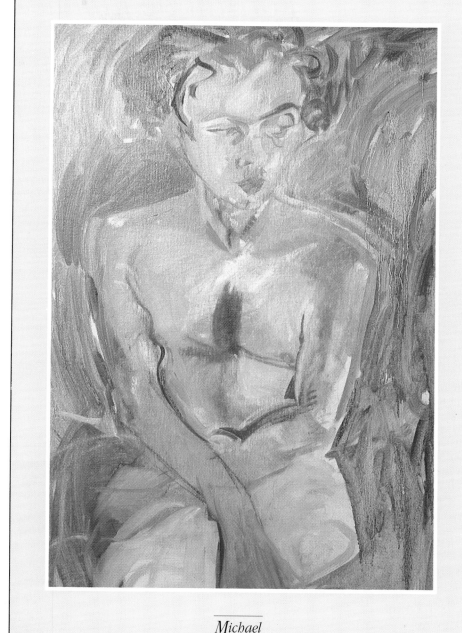

Michael

Portrait de famille

Ce tableau à l'huile est une étude réalisée à l'occasion de la commande d'un portrait de bien plus vastes dimensions. Spécialiste des grands formats, l'artiste passe par plusieurs étapes avant d'exécuter la version finale. Tout d'abord, il rend visite à ses modèles, et après quelques échanges sur la manière dont ils souhaitent être représentés, il leur expose ses propres idées. Ensemble, ils décident du choix. Le peintre réalise habituellement plusieurs esquisses, et prend des photographies. Dans le cas présent, il a très vite trouvé le lieu idéal : le balcon. Il a fait poser la famille, pris quelques notes, puis esquissé le dessin (qui figure sur cette page) au crayon, et l'a envoyé au client. Quelques corrections ont été apportées avant d'entreprendre la peinture à l'huile, à partir du dessin millimétré.

1 L'artiste a travaillé d'après modèle, puis à partir d'une photographie et de croquis.

Ce très grand portrait demandait plusieurs mois de travail. Aussi, l'artiste, ne pouvant pas faire poser ses modèles trop longtemps, a choisi une méthode qui lui permet d'obtenir la ressemblance fidèle souhaitée par ses clients, et lui accorde le temps de perfectionner sa composition, quitte à retourner voir plusieurs fois ses modèles. Sur le dessin, le jeune homme est plus éloigné du groupe que sur la photographie. Il est penché en avant, et appuie son bras sur le dossier du banc. Sur la photographie et l'étude à l'huile, il est plus proche de sa famille, et repose ses mains sur le siège.

La technique utilisée contraste avec celle des études des pages précédentes. Le travail pictural fait appel à une série de glacis très maîtrisés. L'artiste se sert de Win-gel pour faciliter l'étalement de la matière et accélérer le séchage. Chaque couche doit sécher avant l'application de la suivante. Cette technique rappelle à de nombreux égards celle de l'aquarelle, élaborée à partir de couches de lavis superposées ou se chevauchant. Le blanc du support apparaît à plusieurs endroits, suggérant le soleil tombant sur les cheveux, les visages, les vêtements et le sol.

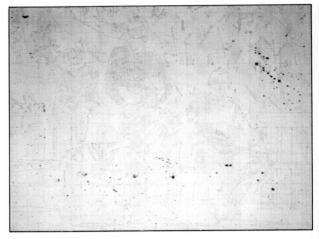

La composition est complexe : les portraits de groupe multiplient les angles, les volumes et les formes. Les espaces entre les personnages et autour ajoutent un élément important à la composition. Dans ce portrait, par exemple, l'angle de la jambe du père, la jambe gauche et le bras gauche du jeune homme forment une diagonale qui équilibre la verticalité d'ensemble de la composition.

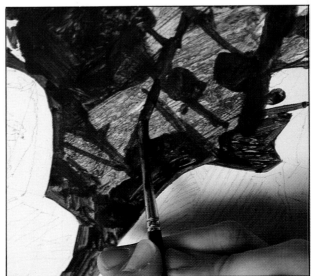

2 Il a d'abord réalisé un dessin détaillé
au crayon 2B sur papier à cartouche,
transféré carré par carré sur le support en
Isorel – *au centre à gauche* –
avec le même crayon.

3 Le feuillage est ébauché avec un vert
anglais dilué, un noir d'ivoire, et un peu
de Win-gel pour accélérer le séchage.
Cette couche, une fois sèche, est recouverte
d'un mélange plus opaque dans les mêmes
tons – *page ci-contre à droite*.

4 L'artiste poursuit de la même manière,
en laissant sécher chaque couche avant
d'entreprendre la suivante, *à droite*.

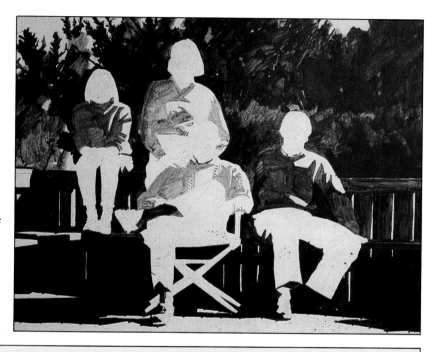

LE TRANSFERT
CARRÉ PAR CARRÉ

Il s'agit d'une méthode très utile
pour reproduire à la même taille,
dans un format plus grand ou
plus petit, des dessins ou
peintures. Les illustrations de
droite montrent l'artiste travaillant
à partir d'une photo. Il utilise un
film transparent, sur lequel il trace
une trame en centimètres carrés.
Le support choisi doit avoir des
proportions identiques à l'original.
L'artiste pose sa grille sur le
support, en l'occurrence le papier
à cartouche. Le nombre de carrés
sur le support doit être le même
que sur l'original. L'artiste transfère
ensuite l'image originale carré par
carré sur le nouveau support.

5 Ces effets de gouttes
et de stries – *ci-dessus* –
ne peuvent être obtenus
que sur un support lisse.
L'artiste emploie l'outremer
et le gris de Payne
pour les ombres de la jambe
de pantalon.

6 Le visage est modelé
avec du blanc et de la terre
de Sienne brûlée. L'ombre
naturelle sert aux ombres
profondes, sous le manteau,
et aux arcades sourcilières
– *ci-dessus à droite*.
Un petit pinceau en poil
de martre exécute les détails.

7 L'image finale émerge
au fur et à mesure que l'artiste
travaille avec méthode
sur la surface peinte
– *ci-dessus* –, se reportant
sans cesse à ses références.
A cette étape, il ajoute
des détails, tels les chaussures
et les sièges. La couche
de peinture est très mince.

8 Un bleu de cœruleum
mélangé avec du blanc évoque
le ciel – *ci-dessus*. L'artiste,
avec un pinceau fin, joue
avec la matière autour des
formes en silhouette
des feuilles. En revenant
sur les rameaux, il obtient l'effet
de piquants souhaité. Il traite
l'espace négatif du fond
comme une forme positive,
ce qui permet d'augmenter
la précision du dessin.

9 Le gris de Payne permet de foncer les rayures du corsage, qui sont dans l'ombre – *à gauche*. L'artiste n'intervient que par endroits, laissant à l'œil du spectateur le soin de compléter. Souvent, il ne donne au spectateur que des clés d'interprétation. Un travail minutieux apparaîtrait finalement moins réaliste.

Les outils de l'artiste

Un panneau en Isorel 61 x 73,7 cm, préparé avec un glacis émulsionné mélangé pour moitié avec une peinture également émulsionnée. La palette est limitée : blanc, vert anglais n° 3, noir d'ivoire, gris de Payne, terre de Sienne brûlée, ombre naturelle, crayon 2B. Brosses en soies de porc n° 5 et petit pinceau en poil de martre.

Portrait de famille

Autoportrait

L'artiste est souvent son meilleur modèle. Personne d'autre ne peut être aussi patient, disponible… et bon marché. La plupart des grands peintres ont réalisé leur autoportrait. Ceux de Rembrandt, par exemple, sont un merveilleux témoignage de sa vie d'homme et de créateur.

Installez-vous. Placez un miroir de façon à vous voir facilement, sans avoir à vous pencher ou à vous tourner pour aller du miroir à la toile d'un simple regard, sans bouger le corps. Vous avez besoin d'une source de lumière artificielle ou naturelle, suffisante et originale. Vos instruments doivent rester à portée immédiate de votre main. Marquez sur le sol la position de votre chevalet, du miroir et de vos pieds, si vous devez passer par plusieurs séances.

Ici, le peintre a commencé par une ébauche au fusain assez détaillée. Le degré de précision dépend de la méthode employée : certains artistes réalisent des croquis très enlevés et travaillent le détail à la peinture, alors que d'autres, comme dans cet exemple, préfèrent pousser l'esquisse jusqu'à la distribution des surfaces de tonalités.

L'approche est ici simple et directe. L'artiste peint ce qu'il voit, se concentrant sur les tons et les formes, tout en parvenant à obtenir une excellente ressemblance. L'une des difficultés du portrait est de trouver des tons chairs convaincants. Vous apprendrez à les composer en étudiant la couleur de la peau sous différents éclairages. Ces tons varient énormément, sans parler des races. Certains peintres ont leur propre formule, et vous trouverez sans doute la vôtre, ce qui ne veut pas dire qu'il n'est pas nécessaire d'analyser chaque fois votre sujet. Les peintures du commerce étiquetées "ton chair" ne portent pas très bien leur nom. Du saumon vif à l'ocre rosé, bien qu'elles soient utiles, elles ne suffisent pas à reproduire seules un épiderme. Éloignez-vous de la toile pour juger de la fidélité de votre couleur. Utilisez les tons froids pour les surfaces sombres et les tons chauds pour les zones éclairées, par exemple le nez, le front et les joues. Appliquez la peinture avec légèreté, en travaillant dans le frais. Une surface trop travaillée peut gâcher un portrait : la peau doit conserver sa fraîcheur. Considérez le visage comme un objet abstrait, sans vous préoccuper de la ressemblance photographique.

1 L'artiste a placé son chevalet de manière à se voir dans le miroir. Il a préféré un éclairage artificiel à la lumière naturelle.

LE FUSAIN

Le fusain est un outil extrêmement pratique pour l'ébauche. Il réagit bien, offre un trait fluide et agréable, mais peut aussi servir à définir les surfaces les plus denses. Il s'efface au chiffon ou avec une gomme spéciale, et donc se corrige facilement. Le fusain permet d'obtenir de nombreux tons et effets de texture : traits, mélanges, estompage…

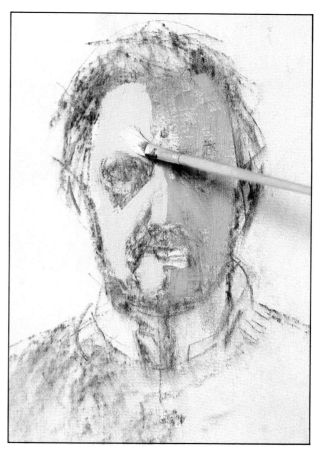

2 L'artiste commence par une ébauche au fusain de saule moyen. Il trace les traits et repères en utilisant son fusain sous plusieurs angles. Avec le plat de la partie taillée ou le côté du bâtonnet, il couvre les surfaces. En le cassant en deux, il obtient un bord acéré avec lequel il dessine des lignes fines.

3 L'excès de poussière de fusain est enlevé avec une balayette douce. Les zones colorées du visage sont ébauchées avec une terre de Sienne brûlée et du blanc – *en haut à droite*. Un peu d'outremer est ajouté pour les tons les plus soutenus, et un rouge de cadmium pour les plus légers.

4 Une ombre naturelle étalée généreusement souligne les tonalités les plus sombres, autour des yeux, dans les cheveux, sur le visage – *à droite*. L'artiste esquisse le pull-over à l'outremer.

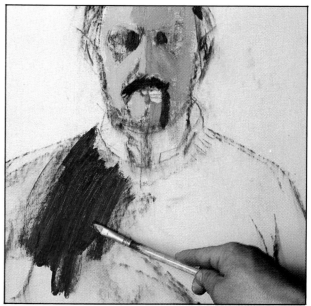

5 Après avoir distribué les tons les plus foncés et les plus clairs, il s'attaque aux demi-tons – *ci-dessus*. Il mélange une ombre pure avec du blanc pour les zones les plus claires des parties ombrées, et ajoute du blanc à la couleur chair sur la droite du visage qui reçoit la lumière.

6 Le fond est frotté vigoureusement avec un mélange de terre de Sienne naturelle et de blanc – *ci-dessus*. Les couleurs sont modifiées par les ombres qui les entourent; du coup, les tons bleu et ocre du fond exercent une forte influence sur les tons du visage.

7 L'artiste ferme à demi les yeux pour synthétiser sa vision du sujet. Cette technique lui permet d'identifier les changements subtils de ton en fonction des plans du visage qui retiennent la lumière – *à gauche*.

Autoportrait

Les outils de l'artiste

Le support est un carton
entoilé 61 x 50,8 cm.
Couleurs : blanc,
rouge de cadmium,
bleu azur, terre de Sienne
naturelle et ombre
naturelle. L'ébauche
a été réalisée au fusain.
Pinceaux plats n°s 10 et 12.

Tony

Si ce modèle est plus massif et possède plus de reliefs que le *Michael* vu précédemment, tous deux traduisent la façon dont le peintre reflète la personnalité et la physionomie selon son approche personnelle de la matière picturale.

La composition est intéressante. L'artiste a choisi de cadrer très serré, comme si le corps repoussait les limites de la toile, créant un sentiment d'espace et d'énergie contenue. En nous privant des contours de l'image, elle nous oblige à regarder d'une manière nouvelle un sujet familier. Nous pouvons reconstituer les contours absents, mais cette forme compacte renouvelle notre perception. Par ailleurs, le plan du tableau est distribué en plusieurs formes géométriques organiquement liées. Les espaces du fond acquièrent de l'importance. Le tableau dégage un sentiment de calme, mais un calme qui exprime une énergie latente, et non la léthargie.

Le support est un panneau en Isorel recouvert de mousseline encollée. Le brun doré naturel du matériau transparaît à travers le textile, produisant un demi-ton bienvenu.

Le peintre a commencé par dessiner une silhouette, puis a ébauché l'arrière-plan, mettant en valeur les qualités abstraites de l'image, évidentes dès cette étape. Avec une couleur chair mélangée à de l'ocre jaune, du magenta et du jaune de Naples, elle a recouvert le torse. La matière, assez fluide, a rapidement rempli les interstices de la mousseline. Parce qu'il est difficile d'apporter une couleur nouvelle lorsqu'on peint dans le frais, elle a laissé la couleur sécher avant d'en rajouter.

Les valeurs de tonalités sont assez proches de celles de *Michael,* où l'artiste avait dessiné ses formes avec de la couleur : des bleus froids pour les zones ombrées, des ocres chauds pour les demi-tons, des roses chaleureux pour les zones éclairées, tous riches en blanc. Elle travaille les rehauts, soulignant les tons clairs par rapport aux tons soutenus grâce à une peinture épaisse.

Dans ce portrait, l'artiste a été séduite par le dessin et le rythme interne du sujet. Le procédé est révélateur, et attire l'attention sur des aspects autres que la représentation littérale.

1 L'artiste a été séduite par les qualités formelles du modèle. Son approche est influencée par ce facteur, et par la tranquillité qui en émane.

L'ISOREL TENDU DE MOUSSELINE

La qualité de la surface du support affecte la manière d'appliquer la peinture. Vous pouvez choisir la surface en fonction de l'effet recherché, mais, au contraire, le support peut aussi vous imposer ses contraintes. La toile a été préparée en encollant à chaud un voile de mousseline sur un panneau en Isorel. C'est un support peu cher et facile à préparer. La colle requiert une journée de séchage environ.

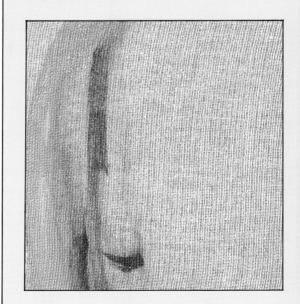

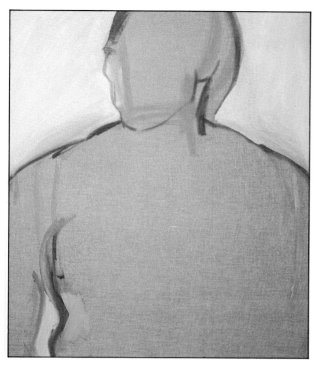

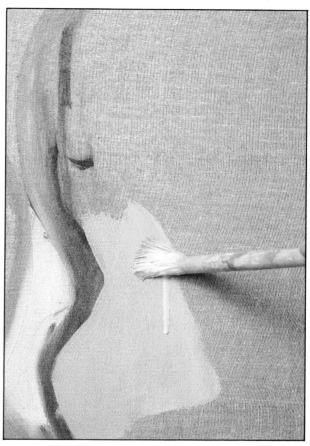

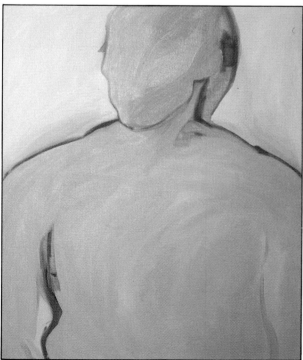

2 Le cadrage très serré de l'image est un important facteur de la composition – *en haut à gauche*. L'artiste dessine les grandes lignes avec un noir liquide.

4 Les formes sont définies par de subtils changements de tonalité – *à gauche*. L'artiste évite les éclairages trop forts ou les zones trop sombres, mais exploite les couleurs pour décrire les formes. Ici, la qualité abstraite du sujet est évidente. Comparez cette peinture avec les premières étapes du *Michael* de la page 86.

3 L'artiste commence par ébaucher le torse avec un ocre jaune, un magenta et un jaune de Naples – *ci-dessus*. La trame fine de la surface grassement encollée est vite obturée par la peinture, diluée à l'essence de térébenthine. Le modèle peut se reposer pendant que la peinture sèche.

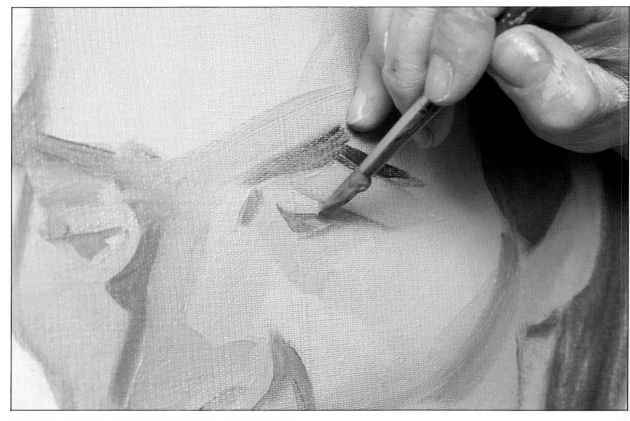

5 Les lignes du visage sont marquées par une combinaison de traits et de glacis couvrants de couleur – *ci-dessus*.

6 Le détail – *à gauche* – signale la finesse de la couche picturale, qui laisse apparaître la mousseline, ajoutant une texture générale.

7 Avec un mélange onctueux d'ocre jaune et de blanc, l'artiste travaille le fond – *ci-dessous* –, suggérant l'ombre du corps sur le mur en arrière-plan.

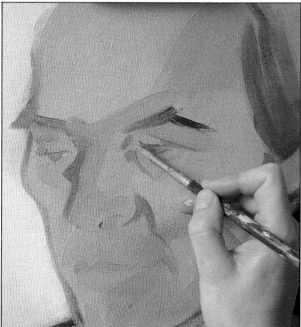

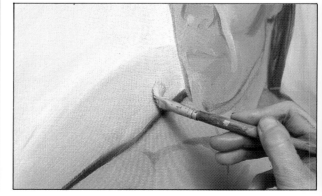

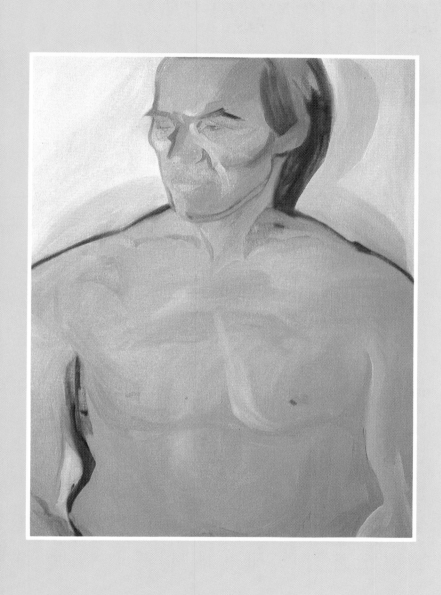

Tony

Les outils de l'artiste

Le support est un panneau
en Isorel 76,2 x 61 cm,
recouvert de mousseline
et encollé. La palette est
composée de bleu
de cœruleum, d'ocre jaune,
d'ombre naturelle,
de magenta et de jaune
de Naples. Les gris
sont issus de ces couleurs.
L'artiste a utilisé de l'huile
de lin et du white spirit.
Brosse ronde en soies
de porc n° 4, brosse plate
n° 10 et petit pinceau
en poil de martre n° 5.

Portrait de jeune fille

Dans ce tableau, l'artiste s'est particulièrement attaché aux effets de la lumière sur le modèle, et à la manière dont celle-ci éclaire et décrit les formes tout en se dissolvant en volumes et facettes étrangement abstraites. Il était à l'évidence soucieux de la ressemblance.

La peinture et le dessin d'après nature font partie, à juste titre, des grandes traditions artistiques. Une partie de l'intérêt du modèle vivant réside dans la pose, qui évolue très peu, ce qui permet d'étudier le jeu de la lumière. Certains artistes maîtrisant les formes et les volumes préfèrent travailler d'après photographie, mais l'image chimique est sans vie, et ne restitue qu'une partie des informations révélées par le sujet vivant.

L'artiste a réalisé son dessin préparatoire au fusain, facile à effacer. Passez le temps nécessaire pour exécuter le dessin, et apportez les premières modifications dès cette étape, car les corrections seront plus difficiles ensuite, physiquement aussi bien que psychologiquement. Il faut beaucoup d'humilité pour reconnaître ses erreurs de composition après avoir travaillé pendant des heures. Observez attentivement votre dessin : est-il assez précis ? l'équilibre est-il respecté ? l'espace est-il bien occupé ?

Une fois les grandes lignes établies, vous pouvez commencer à ébaucher les zones de couleur. Il est important de recouvrir la totalité de la toile, y compris le fond, pour obtenir des points de repère chromatiques. Les couleurs changent en fonction de celles qui les entourent. Une couleur environnée de blanc n'a pas grand-chose à voir avec le résultat final. Notez comment l'artiste utilise plusieurs nuances de la même couleur sur la chevelure et la robe dès cette étape, s'efforçant de trouver la bonne couleur avant de l'appliquer sur la toile plutôt que de l'éclaircir ou de la foncer une fois appliquée. De nombreuses heures de pratique seront nécessaires pour parvenir à obtenir rapidement les bonnes couleurs.

L'artiste a brièvement distribué les grandes plages colorées, et continue à appliquer ses couleurs, sur le fond, la chair, les cheveux et le tissu de la robe. Observez les changements de ton. Le blanc de la blouse n'est pas le même partout : il est plus sombre dans les plis et vers le haut du bras.

1 L'artiste a testé divers éclairages, et choisi une source de lumière artificielle, qui plonge la partie droite du visage dans une ombre très marquée.

2 Avec une solution d'outremer et d'essence de térébenthine, le peintre crée une ébauche monochrome – *page ci-contre*. Il peut ainsi définir toutes les formes avec précision, en indiquant d'une seule couleur les parties sombres, les claires et les demi-tons. L'image ressemble à une photographie en noir et blanc, mais le bleu froid offre un excellent fond pour les tons chair chaleureux qui suivront.

3 Le peintre pose les zones de couleur, en commençant par une teinte diluée – *ci-dessus*. À cette étape, il faut passer plus de temps à étudier le modèle qu'à appliquer la peinture.

4 Maintenant, l'artiste applique une couche de peinture plus épaisse, par empâtements, tout en essayant de conserver aux couleurs leur fraîcheur. Il fait ses mélanges sur sa palette, se référant continuellement au sujet pour maîtriser ses tons.

LE FROTTIS

Cette technique consiste à appliquer une fine couche de couleur diluée sur une couleur existante, de telle façon que les teintes semblent mélangées par accident, la première couleur modifiant la seconde. La seconde couche est opaque, comme un glacis. L'effet est complexe et intéressant.

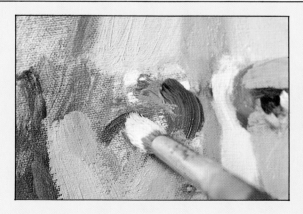

5 Le sujet est perçu comme un jeu de tons et de couleurs. L'artiste ne peint pas un œil, mais les facettes de lumière réfléchie, que nous percevons comme formant un œil – *ci-dessus*.

6 De même – *à droite* –, l'artiste exprime la manière dont la lèvre inférieure accroche la lumière, tandis que la lèvre supérieure reste sombre à gauche et claire à droite.

7 Avec un petit pinceau de peintre en bâtiment, l'artiste badigeonne le fond et la blouse – *à gauche*. Il utilise un blanc, dans lequel il introduit quelques touches des autres couleurs. Ses traits vigoureux traduisent les plis et volants du tissu.

8 Dans la phase finale – *ci-dessus* –, on peut voir les différentes manières dont la peinture a été appliquée : légers frottis sous lesquels l'ébauche apparaît, et empâtements qui masquent totalement le support.

Les outils de l'artiste

Le support est un panneau
en Isorel entoilé
91,4 x 71,1 cm à gros grain.
Le dessin initial a été réalisé
au fusain, et la peinture
travaillée avec une large
gamme de brosses.
Couleurs : blanc de céruse,
jaune de cadmium,
rouge de cadmium,
alizarine, ocre de chrome,
terre de Sienne naturelle,
terre de Sienne brûlée,
bleu outremer,
bleu turquoise et noir.

Portrait de jeune fille

CHAPITRE HUIT

LES NATURES MORTES

Les natures mortes existent en tant que sujet depuis les temps les plus anciens, par exemple dans les tombes de l'Egypte pharaonique, sur les vases grecs ou les murs de Pompéi. Mais il faut attendre le XVIIᵉ siècle et les peintres hollandais pour qu'elles deviennent le sujet exclusif d'un tableau. A cette époque, la Réforme a conquis l'Europe du Nord et transformé la vie religieuse : la clientèle des artistes change, tout comme les thèmes artistiques, et les peintres se tournent vers des préoccupations plus séculières. Les natures mortes ne dissimulent pas moins quelquefois des significations religieuses.

La nature morte peut représenter n'importe quel objet ou groupe d'objets isolé de son contexte. L'un des grands avantages de ces compositions est de permettre à l'artiste la maîtrise totale de tous les éléments, qui sont alors choisis et disposés à son goût. Par ailleurs, les sujets abondent : pierres, fleurs, fruits, ustensiles de cuisine, panier de légumes… Tous peuvent être assemblés pour créer des compositions intéressantes. Une collection d'objets est une excellente base pour la nature morte. Commencez par choisir un thème : par exemple la texture, la couleur ou les formes. Vous pouvez ainsi créer un agencement monochrome, qui vous aidera à étudier la manière dont la couleur définit la forme. D'autre part, vous pouvez disposer des objets à la texture bien apparente à côté d'objets lisses. Le choix est infini…

Nature morte au melon

Pour ce tableau aussi délicieux qu'exubérant, l'artiste a choisi des fruits et des légumes dans sa cuisine : un melon, des tomates, un oignon et un poivron vert. Le vert vif du poivron et le rouge des tomates, complémentaires, se mettent réciproquement en valeur. La couleur mate et subtile du melon est soutenue par les lignes vert sombre, créant des sections auxquelles fait écho la surface lisse et dorée de l'oignon.

L'artiste a commencé par ébaucher les formes générales des différents éléments avec de la peinture diluée. Il a étalé une couche épaisse, retravaillée au crayon pour préciser les formes rondes et au couteau pour les figures plus anguleuses. L'ébauche est déterminante pour les couches suivantes.

Les zones d'ombre jouent un rôle important, et sont traitées dans des gris chauds et froids plutôt qu'en noir et blanc. Vous pouvez animer vos peintures en créant des ombres intéressantes. Pour relever vos demi-tons, ajoutez des couleurs complémentaires au mélange de base, ou un peu de la couleur voisine.

L'artiste a décrit les formes en utilisant la couleur : un blanc pour les horizontales, un blanc froid pour les verticales. Les lumières réfléchies ont un rôle important dans la perception des formes. La partie supérieure de la tomate reflète le maximum de lumière, exprimée grâce à un rouge chaud, alors que la face opposée à la lumière est traitée dans un rouge froid. Vers le bas, l'artiste a introduit dans le rouge un soupçon de vert complémentaire. L'essentiel des formes résulte de l'éclairage à contre-jour, qui fait ressortir les courbes sur le fond blanc. Ici, les formes créent un motif, les valeurs sombres un autre, tandis que les espaces négatifs apportent leur propre jeu formel.

La manière dont l'artiste a appliqué la matière contraste avec celle de l'exemple précédent. Les zones composées de couches fines s'articulent autour des empâtements sur les parties les plus apparentes. L'artiste a utilisé plusieurs outils : une brosse, un couteau, et même les doigts.

1 Les fruits et légumes représentés ont été choisis pour la complémentarité de leurs couleurs et l'intérêt de leur surface.

LA PEINTURE AU DOIGT

Vous pouvez travailler les couleurs directement avec les doigts. Cette technique est utilisée par de nombreux artistes, depuis le Titien. Elle démontre que tous les moyens sont bons pour obtenir l'effet recherché.

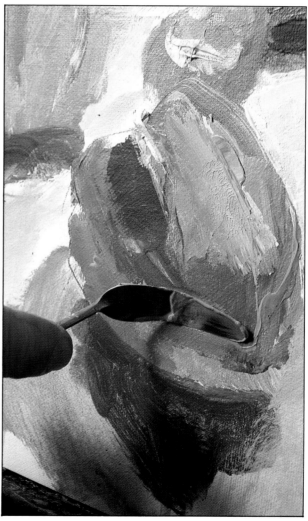

2 Avec la couleur qui convient, diluée à l'essence de térébenthine, l'artiste ébauche la forme des fruits et des légumes – *page ci-contre au centre*.

3 Le détail – *ci-contre* – montre la manière dont les couleurs construisent la forme de l'oignon : des tons froids sur la surface éloignée de la fenêtre, et des empâtements dans la partie haute. L'artiste a strié la surface avec la pointe d'un crayon pour créer une ligne gris foncé sur la surface peinte et des marques dans la peinture fraîche.

4 L'artiste ébauche un empâtement épais avec un couteau – *ci-dessus*. Les couleurs fraîches sont étalées rapidement, mêlées en certains endroits mais non fondues. Le couteau permet également de "dessiner" les épaisses lignes vertes du melon.

5 *A droite* : l'artiste étale la peinture avec le plat de la lame. Le couteau est un outil polyvalent, dont il faut bien maîtriser les possibilités. Mal contrôlé, son effet peut paraître mécanique.

6 *A gauche* : une fois encore, le crayon a servi à tracer des lignes qui renforcent la rondeur de l'oignon et rappellent le dessin de la pelure.

7 *Ci-dessous* : l'artiste applique la peinture au sortir du tube, et, avec un couteau, précise les formes angulaires et les plis du tissu à l'arrière-plan.

8 L'artiste ajoute les détails tels le ruban ou l'étiquette du melon. Puis il finalise la forme des tomates, précise les ombres, et pose des rehauts sur la partie supérieure des végétaux – *ci-dessus*.

9 *A droite :* l'artiste continue à construire son image en appliquant la matière au couteau, par petites touches afin de porter le moins possible atteinte aux couches précédentes, et éviter un effet de "fatigue" ou de "brouille" de la surface peinte.

Nature morte au melon

Les outils de l'artiste

Le support est un panneau en Isorel entoilé 50,8 x 61 cm.
La palette : ocre jaune, blanc, gris de Payne, jaune de cadmium léger, rouge de cadmium, vert de chrome, pourpre d'alizarine et vert anglais n° 3. Pinceau à bout rond en soies de porc n° 12, couteau à palette, crayon.

Pot à thé sur le rebord d'une fenêtre

La nature morte offre des sujets d'une infinie variété, que vous pouvez trouver autour de vous. Tous les éléments sont à votre portée, et vous contrôlez parfaitement votre sujet, ce qui n'est pas le cas pour un paysage ou un portrait. La composition peut être recréée jour après jour, selon vos désirs.

Choisissez des objets qui présentent pour vous un réel intérêt. Vous n'êtes pas obligé de vous limiter aux bouteilles ou tissus que l'on voit si souvent. Ici, l'artiste a choisi de peindre un pot à thé, dont il aimait les courbes généreuses et le bleu décoratif. Il a prolongé le motif bleu en le répétant sur une coupelle de couleur similaire. Pour commencer, le choix d'une gamme particulière de couleurs – une sélection de bleus ou de complémentaires, par exemple – pourra vous faciliter la tâche. Pour créer un contraste par rapport aux courbes, l'artiste a placé le pot sur le rebord d'une fenêtre, dont le jeu de verticales et d'horizontales agit comme un fond dynamique. Le pot est posé en angle, point de rencontre des horizontales et des verticales. Les éléments de l'image sont très précisément définis. En arrière-plan, on devine un paysage aux formes agréables et douces.

L'artiste a utilisé une toile à grain fin, qui convenait à son approche méticuleuse et à sa manière de peindre. Il a travaillé lentement, au petit pinceau de martre, pour ébaucher, avec de la peinture diluée, toutes les zones colorées à la fois. La couche est si fine que la texture de la toile transparaît. Le fond est un exercice de style en gris chauds et froids. Le soleil qui brille à travers la fenêtre confère un intérêt supplémentaire à ce tableau. Les taches de lumière sur le cadre de la fenêtre et les reliefs dissolvent les formes en ombre et lumière, attirant l'attention sur certains détails et en effaçant d'autres. L'ombre et la lumière créent un autre niveau d'intérêt, qui se superpose au sujet lui-même. Les zones d'ombre et les espaces qu'elles délimitent sont importants, exerçant une influence dans la composition.

Dans cette technique, l'empreinte de la brosse n'a pas d'incidence. Comparez certains détails de cette peinture avec les approches précédentes : les procédés en matière de peinture à l'huile sont innombrables.

1 Ce sujet très simple est une étude géométrique à partir des formes arrondies du pot et des lignes droites de la fenêtre.

2 En travaillant la peinture très diluée en couches minces et au petit pinceau de martre, l'artiste définit les grandes zones du tableau – *ci-dessous.*

3 La composition est simple, et les éléments principaux sont vite distribués. A cette étape, la matière est encore très légère – *à gauche.*

4 Avec un mélange d'outremer
et d'un peu de blanc,
l'artiste poursuit la mise
au point des bleus du pot à thé
et de la coupelle.
Un gris de Payne mélangé
à du blanc permet de marquer
les tons plus foncés
du rebord de la fenêtre
et de son encadrement
– *à droite*. L'artiste utilise
une peinture
un peu plus épaisse
et une brosse en soies de porc
plus rigide.

LE RUBAN DE MASQUAGE

Sur ce détail, nous voyons comment l'artiste utilise un
ruban de masquage pour cacher une partie de l'image
et travailler plus librement sur une zone donnée.
Ce ruban a de nombreux usages. Il permet de fixer le
papier sur une planche à dessin, et s'enlève sans
dommage, à la différence des rubans adhésifs, très
agressifs. Le ruban de masquage permet également de
tracer des lignes droites sur un tableau en cours.

5 Scrupuleusement, l'artiste remplit la surface – *à gauche*. Comme la peinture appliquée en couche fine sèche plus vite, il peut procéder par couches légères, l'une par-dessus l'autre. Un mélange d'ocre, de gris de Payne et de blanc permet de reproduire la brique, le bleu turquoise et le blanc pour le feuillage aperçu par la fenêtre.

6 Ce détail – *ci-dessus* – illustre la rigueur de la technique. L'artiste utilise une brosse très fine pour indiquer les minuscules fentes du bois des volets encadrant la fenêtre.

7 Avec le même pinceau, l'artiste utilise une peinture non diluée pour peindre le décor sur la surface du pot – *ci-dessous*. Le réalisme de l'image finale – *ci-contre* – est équilibré par une qualité froide, presque abstraite.

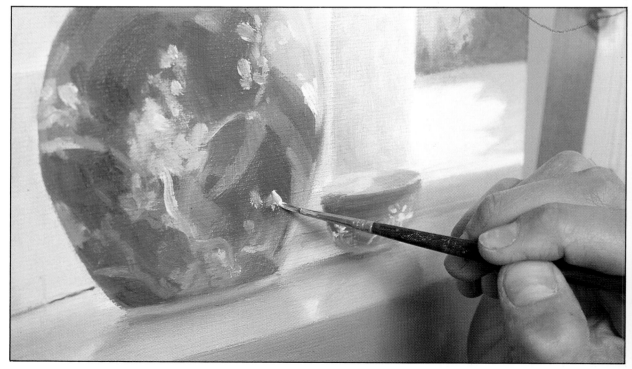

Pot à thé sur le rebord d'une fenêtre

Les outils de l'artiste

Le support est une petite toile 30,5 x 25,4 cm, achetée tendue et préparée. Les couleurs : gris de Payne, noir, ocre jaune, bleu de Prusse, outremer et jaune de cadmium pâle. L'artiste s'est servi d'un petit pinceau en poil de martre et d'un pinceau à bout rond n° 8.

Nature morte avec aspidistra (1)

L'artiste a été séduit par la richesse des couleurs sombres et profondes de ce sujet. Il a commencé sa composition au milieu de la toile, travaillant du centre vers les bords. Pressé par le temps, il a voulu tirer le maximum de son sujet en une seule séance, et décidé d'appliquer la peinture au couteau, en petits aplats séparés. C'est la technique *alla prima,* où la peinture est appliquée directement sur le support en une seule couche, contrairement aux techniques classiques, qui font appel aux glacis et aux frottis, produisant une surface richement texturée. Technique très rapide, elle demande de l'expérience. La peinture est utilisée sans mélange, directement au sortir du tube, par petites touches de couleur pure posées les unes à côté des autres. Chacune présente une forme particulière, dont les épaisseurs renvoient la lumière très différemment d'un aplat ou d'une couleur mate. Ce procédé crée un effet de scintillement, qui génère une surface très animée.

La répartition des zones de tonalités joue un rôle sous-jacent important dans la composition de toute peinture. L'un des meilleurs moyens d'identifier ces zones d'ombre et de lumière est de regarder le tableau les yeux mi-clos, pour unifier les éléments de la composition en un ensemble presque abstrait. Certains tableaux ne laissent percevoir que quelques zones claires et sombres, les images les plus simples produisant une impression de sérénité. D'autres présentent une masse d'éléments divers, qui invitent l'œil à se promener sur la totalité du tableau.

Ici, la lumière naturelle a été supprimée par un rideau. Le sujet est éclairé artificiellement, et une lumière douce tombe sur un seul côté des objets. L'artiste a observé avec soin son sujet pour définir et préciser les changements de ton autour des formes, la "pose" de la couleur, et l'ordre dans lequel les plages devaient être travaillées. Plusieurs fois, il s'est éloigné du tableau pour mieux l'examiner. Ceci est important, en particulier lorsque vous travaillez avec un mélange optique des couleurs, car l'image ne commence à émerger que lorsque vous la regardez de loin.

1 Cette nature morte est dominée par le feuillage généreux de la plante en pot, équilibré par les fruits, petits mais brillamment colorés, du premier plan.

2 Bien que pressé par le temps, l'artiste a voulu conserver une trace de cette jolie nature morte. Il a réalisé une esquisse grossière à la peinture, puis commencé à appliquer la matière au couteau.

L'UTILISATION DU COUTEAU

Voici quelques-uns des effets que l'on peut obtenir avec un couteau à peindre. *Dans le premier exemple*, le plat de la lame sert à étaler la peinture épaisse sur le support. *Dans le second*, l'artiste utilise la tranche, avec un mouvement de balayage.

A gauche, un couteau à palette permet de gratter la peinture de la toile. Les marques en *sgraffito* sont obtenues en grattant avec le bout de la lame.

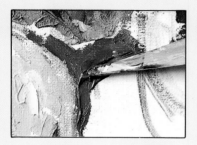  

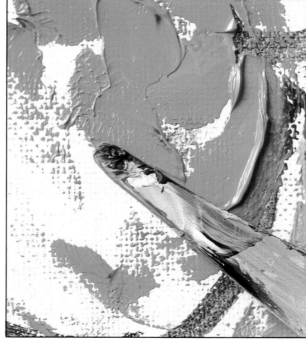

3 Avec un couteau à lame longue et étroite, l'artiste applique la peinture – *ci-dessus*. Il mélange la couleur sur la palette, associant les tons autant que possible en se référant constamment au sujet.

4 *Ci-dessus* : la peinture est étalée avec le plat du couteau, créant un effet d'ondes et de crevasses qui rend plus intéressante encore la surface peinte.

5 Avec un couteau à peindre, et selon la technique *alla prima,* les petites touches de couleur forment rapidement une première image, un peu à la manière d'un puzzle – *à gauche.*

6 Les rouges et verts complémentaires se mettent réciproquement en valeur, et modifient les couleurs – *ci-dessus.* Utilisée pure, la peinture brille d'un bel éclat.

7 La peinture traitée de cette façon possède une qualité tactile tridimensionnelle – *ci-dessous à gauche.*

8 La texture grainée du support continue à transparaître sous les pommes du chou-fleur – *ci-dessous.*

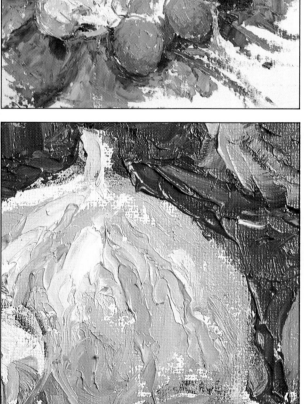

Les outils de l'artiste

Le support est un carton entoilé 45,7 x 35,5 cm déjà préparé. Le dessin initial a été réalisé avec un petit pinceau en synthétique n° 8. L'artiste a ensuite travaillé au couteau à palette.

Couleurs : jaune de cadmium pâle, rouge et orange de cadmium, pourpre, vert anglais n° 3, oxyde de chrome, bleu et blanc de cobalt.

Nature morte avec aspidistra (1)

Nature morte avec aspidistra (2)

Ce tableau contraste assez bien avec le précédent, qui traite du même sujet mais réalisé *alla prima*. Ici, l'artiste a commencé par une ébauche à la manière des maîtres anciens. Les ébauches monochromes étaient jadis une technique traditionnelle pour établir les zones de tonalités de base. Ceci fait, le peintre a travaillé par glacis, frottis, et même empâtements.

Pour les glacis, il a mélangé différents médiums à sa peinture afin de créer une "peau" de couleur transparente. La peinture à l'huile convient parfaitement à cette méthode de travail. Les glacis produisent différents effets, en fonction de l'ébauche : ils peuvent être étalés sur un fond monochrome en fines couches de couleur, ou développer des tons subtilement modulés. Ils permettent également de modifier un empâtement. L'effet obtenu en appliquant une couche de glacis sur une autre est totalement différent de celui obtenu en mélangeant les deux couleurs. La peinture acquiert une brillance intimiste particulière lorsque la lumière traverse les couches transparentes puis est réfléchie par la couche opaque du dessous.

La peinture utilisée pour les glacis doit être suffisamment diluée pour que la couche inférieure reste visible. Il est également important de laisser sécher chaque couche avant d'appliquer la suivante. L'artiste s'est servi ici d'une substance à base d'alkylant, le Liquin, qui, ajouté à la peinture, améliore sa fluidité tout en conservant son corps. Il accélère également le séchage. Le peintre a par ailleurs fait appel à l'Oleopasto, un médium qui donne des empâtements plus riches.

Pour obtenir les effets variés du glacis, l'artiste doit travailler du clair au foncé, en commençant par les couleurs douces. Les glacis légers sont très utiles, pour modifier une partie d'un tableau, apporter un reflet rose à une zone du ciel, ou adoucir le ton de celui-ci s'il paraît trop fort de retour à l'atelier.

Dans ce tableau, nous pouvons observer la richesse et la profondeur de tonalité obtenue par l'application minutieuse des couleurs, chaque couche nouvelle modifiant subtilement les couches antérieures.

1 Pour traiter le même sujet que celui de la page précédente, l'artiste, ici, a adopté une technique par couches, et travaillé plusieurs jours sur le tableau.

2 L'artiste commence par une ébauche monochrome, puis délimite les zones de couleur. Il mélange du Win-gel à la peinture pour accélérer le séchage et accentuer le brillant – *ci-dessous.*

3 *Ci-dessous* : le peintre privilégie les couches sombres et fines, réservant les empâtements aux rehauts. Il utilise du Liquin mélangé à un pigment de titane en poudre.

4 *Ci-dessous au centre* : la technique des glacis nécessite beaucoup de temps, car chaque couche doit sécher avant l'application de la suivante.

CRÉATION D'UNE ÉBAUCHE MONOCHROME

A ce stade, l'artiste ne se préoccupe pas du rendu des détails, mais des grandes plages colorées. Avec une solution diluée d'ombre naturelle, il pose d'abord les tons foncés, laissant le blanc de la toile agir comme autant de rehauts. De cette façon, toutes les zones importantes sont déterminées, et les formes deviennent perceptibles. Par-dessus, l'artiste applique les couleurs des zones plus détaillées. Ici, il dispose d'une ébauche sombre, et doit donc travailler du foncé au clair, en couches très minces. Par le passé, l'ébauche aurait été plus claire, pour travailler du clair au foncé, mais une ébauche foncée procure une unité qui s'impose aux couches successives, et crée une heureuse harmonie.

5 Dans ce détail – *à gauche* –, nous voyons la variété des effets obtenus grâce aux différents médiums. Le Liquin est un alkylant qui dilue la peinture sans perte de substance. L'Oleopasto conserve les marques du pinceau, comme le montre le pot de la plante, sur lequel l'artiste a ajouté des traits vert olive et jaune de cadmium.

6 *A gauche* : le peintre utilise un mélange onctueux de blanc et d'Oleopasto teinté d'ombre naturelle pour créer la texture du chou-fleur. Dans les oranges, *à droite*, l'ébauche transparaît sous les glacis, contrastant avec l'opacité du chou-fleur.

7 *Ci-dessous à gauche* : l'artiste réduit la gamme des tons par un glacis outremer.

Les outils de l'artiste

Il a choisi les couleurs suivantes : orange et rouge de cadmium, vert olive, vert anglais N° 3, violet Winsor, ombre naturelle et blanc. Il s'est également servi de pigment blanc, de Win-gel, d'Oleopasto et de Liquin. Le support est un petit morceau d'aggloméré de 40,6 x 30,5 cm, recouvert d'un fond acrylique. Pinceaux : numéro 8 synthétique, plats numéros 8 et 10, et brosse ronde numéro 16.

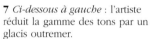

8 Sur ce détail – *à gauche* –, le peintre se sert d'un chiffon pour travailler le glacis le plus clair.

9 *Ci-dessous* : le bleu turquoise est mélangé avec du Liquin pour le glacis du melon et la partie ombrée de la cruche. L'artiste complète son tableau par des glacis sur les feuilles et en fonçant les ombres denses sous la table – *ci-contre*. Le résultat final possède une qualité lumineuse et riche qui contraste avec la version précédente.

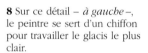

Nature morte avec aspidistra (2)

Trois poissons sur un plat ovale

Le poisson, avec ses formes lisses, ses couleurs scintillantes et le délicat motif de ses écailles, est un merveilleux sujet pour le peintre.

La composition est très simple : trois diagonales découpent un ovale contenu dans un rectangle délimité par le siège sur lequel le plat est posé. L'artiste a renforcé la géométrie de l'ensemble grâce à une légère plongée, qui met en valeur les espaces négatifs entre les pieds de la chaise et le dossier.

Le poisson associe des lignes descriptives et de composition. L'image est composée de zones de lumière sur les plages d'ombre, de façon que le fond renforce la présence du siège.

L'artiste a commencé par un croquis simple mais précis, tracé directement sur le carton entoilé, à la texture assez nette. Il a dessiné les poissons, puis esquissé le fond, enrichissant la composition au fur et à mesure qu'il progressait. Peindre ne consiste pas à copier le réel. Aussi, vous devez étudier très attentivement votre sujet, et plus vous l'observez, mieux vous le voyez. Vous découvrez alors de nouvelles possibilités : ainsi, par exemple, vous prenez brusquement conscience du chatoiement rose du flanc de la truite, qui va devenir un accent de couleur important.

L'intérêt de l'image ne réside pas dans la complexité de la matière colorée. Ce tableau est très simple, tant au plan de la composition que des couleurs, mais le travail vigoureux et plein d'imagination de la matière crée un effet nouveau et intéressant. L'œil revient inévitablement sur cette chaude flambée de couleur rose. Tous les éléments de la composition travaillent de concert pour créer un effet très particulier. Le liseré du plat attire le regard vers le centre de l'image, mais le mouvement de l'œil est troublé par un poisson qui l'interrompt, puis ramené vers l'accent de couleur vive.

1 La couleur, la forme et la texture des poissons offrent des sujets très intéressants.

2 Avec de l'outremer et du gris de Payne très dilué à l'essence de térébenthine, l'artiste esquisse les grandes lignes du sujet – *ci-dessous* – avec un pinceau plat en soies de porc. La tache éclatante de rose est obtenue avec du pourpre d'alizarine mélangé à du blanc.

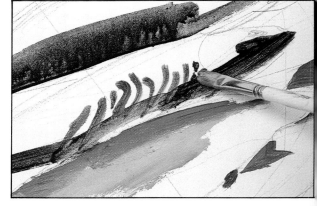

3 Le fond est obtenu avec un mélange d'ocre jaune, de blanc et de terre brûlée – *à droite*. Pour la chaise, l'artiste a utilisé un mélange d'ocre et de blanc, et ajouté un peu de bleu de Prusse pour les tons foncés de l'assise.

DESSINER À LA RÈGLE

Le dessin joue un rôle fondamental dans tout art. Ses fonctions sont multiples : il peut servir à une étude préalable ou être exécuté pour lui-même. Ici, l'artiste a profité de la phase d'étude pour organiser sa nature morte. A partir de quelques lignes simples, il peut savoir si l'image est adaptée au support.

Les enfants dessinent souvent ce qu'ils connaissent – un ballon est rond, une brique rectangulaire –, mais l'artiste lui, doit mieux affûter son regard. Pour obtenir un résultat convaincant, il vous faut analyser votre sujet dans son environnement, c'est-à-dire le sujet lui-même et les objets qui l'entourent, comme faisant partie d'un tout. L'artiste a dessiné en même temps le sujet et le fond, multipliant les rapports entre eux. Il a utilisé un crayon doux, et, avec une règle, a construit l'ovale du plat et ses axes. Les autres éléments ont été déterminés en mesurant la distance entre les différents points, et en traçant des verticales entre ces points.

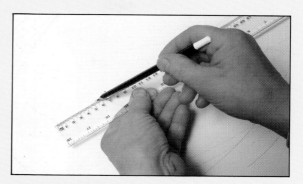

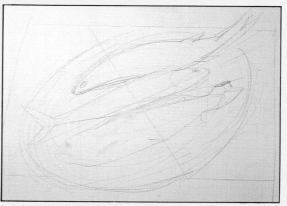

4 L'artiste, conscient de l'esthétique de son sujet, utilise un bleu de cœruleum mélangé à du blanc pour figurer les flancs du maquereau – *ci-dessus*.

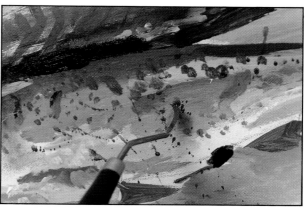

5 La texture de la truite est rendue de différentes façons. L'artiste utilise un mélange de peintures diluées et une brosse à poils raides, passant le pouce sur les soies pour obtenir un effet de projection. Des taches de couleur sont appliquées au petit couteau – *ci-dessus*.

6 *A droite* : au fur et à mesure
de l'application des couches,
le peintre prend soin
de maintenir l'unité
de la composition
en progressant partout
en même temps. Les couleurs
ont des tons très proches,
mais sont modulées avec soin
pour suggérer la forme.

7 Avec un petit couteau
à peindre, l'artiste précise
la queue de la truite
– *ci-dessous*.

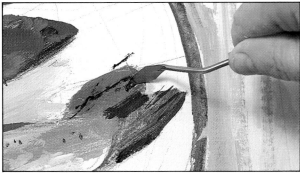

8 Avec un mélange de bleu
de cœruleum et de blanc,
le peintre applique
la peinture en pointillés
avec l'angle de la brosse
– *ci-dessus à droite*.
La peinture à l'huile
permet de créer
des textures innombrables.

9 *A droite* : l'artiste utilise
un pinceau noir doux
pour créer le délicat motif
sur le bord du plat.
Le tableau final
– *page ci-contre* –
est une représentation exacte
du sujet, mais le peintre
en a révélé les qualités
abstraites par de fins réglages
ou mises en valeur.

Trois poissons sur un plat ovale

Les outils de l'artiste

L'œuvre a été exécutée sur un carton entoilé 50,8 x 61 cm. L'artiste a utilisé un crayon 4B pour réaliser le dessin initial, accentuer certains détails, et donner de la texture.

Les couleurs : bleu de Prusse, bleu de cœruleum, bleu turquoise, noir, pourpre d'alizarine, ocre jaune, jaune de cadmium, pâle, gris de Payne, outremer, terre de Sienne brûlée et ombre naturelle.

Pinceaux : une brosse plate n° 10 et un petit pinceau en poil de martre. Il s'est également servi d'un petit couteau à peindre pour créer de la texture.

CHAPITRE NEUF

LES FIGURES

Ce que l'on appelle en peinture la figure est un sujet
aussi fascinant pour l'amateur inexpérimenté que le
peintre confirmé. Le corps humain se prête à une infinité
d'attitudes, dont l'artiste étudie les formes pour améliorer
sa capacité d'observation et développer sa technique. La
figure est également un puissant moyen d'expression des
émotions – également exploité par la danse –, qui offre
à l'artiste un thème stimulant. Les problèmes de perspective, de représentation de la forme et du mouvement
et les complexités de l'anatomie sont explorés à partir
d'études. Peignez et dessinez d'après nature aussi souvent que possible. Vos parents ou vos amis peuvent être
sollicités pour servir de modèles, mais vous pouvez aussi
assister à des cours avec modèle, ou en louer un. Ce chapitre traite à la fois le nu et la figure habillée, tout en
poursuivant l'apprentissage de l'utilisation de l'huile dans
le croquis.

Femme au corsage vert

Le personnage, assis, a pris une pose très simple, bien qu'elle ne soit pas forcément facile à reproduire. L'artiste doit surveiller le sujet, afin qu'il conserve l'esprit et la symétrie de la position (l'angle de trois quarts est particulièrement difficile à maintenir pour la tête).

Selon les Grecs anciens, la figure mâle idéale mesure huit "têtes" de haut, la tête et le torse quatre, et les jambes quatre également. La figure féminine compte, elle, sept "têtes" et demie, dont trois et demie pour les jambes. Si très peu d'entre nous se conforment à ces proportions idéales, ces règles fournissent cependant une base utile.

Confronté à la diversité des formes humaines, vous pouvez penser qu'il doit être bien délicat d'établir des règles générales. Dans certains cas, il peut se révéler pratique de concevoir une figure comme un ensemble de cercles ou de volumes dans l'espace. Même si vous le reproduisez en deux dimensions, le corps humain se meut en trois dimensions, et il est important que votre peinture ou votre dessin transmette ce sentiment de volume pour être convaincant.

La pose ici représentée peut s'analyser en une série d'images : la base des jambes, qui s'articulent au genou avec les cuisses, puis le bassin, le torse, le cou et le visage. Ces éléments reliés entre eux produisent certains mouvements les uns par rapport aux autres. Dès que le modèle adopte une pose autre que le garde-à-vous, vous vous trouvez confronté à une complexité grandissante. A ce stade, pensez aux axes directionnels, c'est-à-dire à la direction dans laquelle chaque partie du corps se déplace, ainsi qu'aux angles d'inclinaison entre elles.

Ces méthodes peuvent vous donner des pistes, mais avant de dessiner, vous devez, toujours, regarder. C'est le mode d'apprentissage essentiel pour l'artiste amateur. Des références croisées peuvent vous aider à mieux percevoir les proportions et les rapports formels. Votre œil est l'instrument de mesure pour établir ces références. Imaginez une ligne qui suit le déplacement de votre regard entre le menton du modèle et sa main droite, entre sa main et son pied, etc. Chacune de ces lignes est en relation avec les autres, selon un angle et une proportion particulière. Les verticales et les horizontales sont très utiles pour cet exercice, car elles sont autant de repères par rapport à une porte, un mur ou le sol.

Sur ce dessin tout simple au fusain, l'artiste s'est contenté de déterminer les grandes subdivisions de la figure en quelques traits. Il a commencé par appliquer sur les zones principales une couleur acrylique très diluée, qui sèche rapidement, avant de travailler à l'huile. Le modèle a fait plusieurs pauses au cours de la séance, et, chaque fois, sa position a très légèrement changé. Assis, il s'est décontracté, et les angles et proportions se sont modifiés presque imperceptiblement, mais l'artiste a noté ces petits changements, et les a intégrés au fur et à mesure de son travail.

Cette étude présente une dominante colorée très nette : des tons froids, des bleus et des gris passés par-dessus le fond chaud. La tête et le visage ressortent fortement, seules zones chaudes du tableau.

1 Les angles entre les membres et le torse de cette figure assise créent une géométrie sous-jacente, conférant un intérêt supplémentaire à une pose simple.

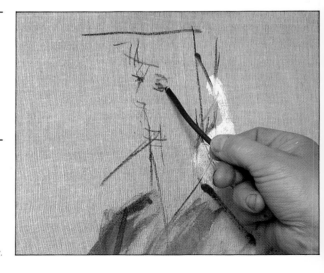

2 Le support (un panneau en Isorel tendu de mousseline) fournit un fond en demi-ton. L'artiste étale de grandes zones de couleur à l'acrylique diluée, et esquisse les lignes principales au fusain – *à droite*.

CORRECTIONS

Seuls quelques rares artistes prétendent tout savoir
de leur art. Chaque nouveau projet est un nouveau
défi et une nouvelle occasion d'apprendre.
Même l'artiste le plus accompli apporte
des corrections au cours de son travail.
Qu'il s'agisse d'une modification de composition
pour des raisons purement esthétiques,
d'un changement de position du sujet,
ou même de la correction d'un dessin imprécis.
Dès que vous constatez que quelque chose
ne va pas, quelle que soit l'étape, modifiez-le.
Il est très facile de corriger, en particulier
la peinture à l'huile. Dans le détail – *à droite* –,
l'artiste redessine en travaillant au fusain
dans le frais.

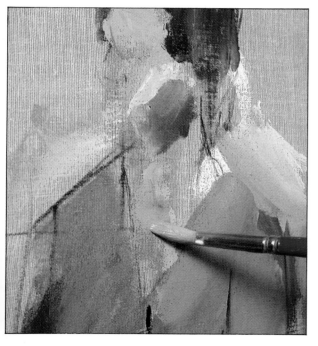

3 A la peinture acrylique
– *ci-dessus* –, l'artiste continue
à ébaucher les grandes zones
de son sujet au bleu de cobalt
et blanc pour le torse
et le pantalon, et noir
pour les cheveux. Il travaille
rapidement, car l'acrylique
sèche vite, surtout
sur une surface qui absorbe
et retient le pigment.

4 Toujours à l'acrylique,
l'artiste frotte le fond
avec un peu de bleu de cobalt
et de blanc. Puis il précise
les formes avec une brosse
souple en poil synthétique,
chargée de peinture noire fluide
– *ci-dessus*.

5 *A droite :* l'artiste peint
ce qu'il voit, calculant les angles
et comparant les dimensions
à l'œil, en s'éloignant
de son chevalet.

6 *Ci-dessous :* la peinture
acrylique est sèche,
et l'artiste peut commencer
à travailler à l'huile.
Une fois les grandes zones de
tonalité définies, il les met
au point.

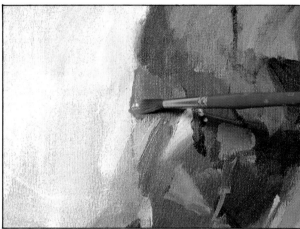

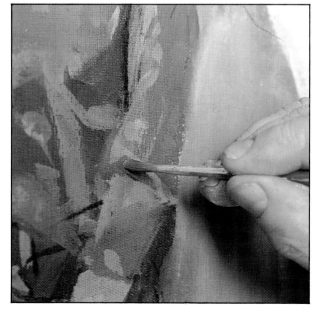

7 *Ci-dessus :* la gamme
des couleurs est majoritairement
froide, avec des verts, des bleus
et des blancs, les tons chauds
étant réservés à la tête,
les bras et les mains.

8 *A gauche :* un petit pinceau
permet d'appliquer les tons
foncés au pli du coude.
Ce détail montre les tons
soigneusement modulés
du corsage et la manière
dont la texture de la mousseline
contribue à l'aspect général.

9 L'artiste applique les touches
finales : un peu de rouge
pour les chaussettes,
et du blanc frotté sur le dessus
de la chaussure.

Femme au corsage vert

Les outils de l'artiste

Le support est un panneau
en Isorel 71 x 51 cm
recouvert d'une mousseline
encollée. Pour le premier
dessin et les corrections
ultérieures, l'artiste
a travaillé au fusain.
Ses couleurs sont le blanc,
le bleu de cobalt et le noir
acrylique, puis le bleu
de Prusse, le gris de Payne,
le noir, l'outremer, l'ombre
naturelle, le bleu turquoise,
l'ocre jaune, le jaune
et le rouge de cadmium
à l'huile. Il a utilisé
une petite brosse de peintre
en bâtiment
et des pinceaux en poil
synthétique nᵒˢ 8 et 10.

Le Cours de peinture

L'artiste a été séduit par la complexité du sujet et l'opportunité d'explorer la profondeur et le mouvement des différents plans. Il a souhaité créer une œuvre qui possède un mouvement interne, tout en restant harmonieuse et équilibrée. Ce tableau a été réalisé à partir de la photographie en 35 mm d'une classe de l'artiste, elle est donc assez réduite. Elle n'a servi que de point de départ pour l'étude, de matériau brut pour mieux analyser un sujet jugé intéressant.

Les espaces en arrière-plan et les couleurs froides créent un jeu de plans. Le peintre souhaitait réduire sa palette aux bleus, gris, bruns et ocres, mais quelques verts ont réussi à s'y glisser.

Les formes massives sont composées de plans, que nous percevons en fonction de l'éclairage. Même une surface ronde peut s'analyser comme un nombre infini de petites facettes. Lorsqu'un plan rencontre un autre plan, le ton et la couleur changent, parce que la quantité de lumière réfléchie par l'un et l'autre n'est pas égale. Ces changements de plan sont donc extrêmement importants pour le rendu des formes en trois dimensions. Ici, l'artiste s'est essentiellement préoccupé de la structure, c'est-à-dire de la manière dont les différents éléments occupent l'espace.

Le sujet réside dans la relation entre les figures, les rapports entre les lignes et les couleurs, et la façon dont la lumière affecte la forme. L'artiste a choisi un thème qui lui est proche et exprime son univers.

Pour créer, tous les peintres doivent faire un choix. Transformations, distorsions ou mises en valeur font naître une œuvre unique et personnelle. Dans ce tableau, le peintre s'est intéressé à la structure, à la profondeur et à la construction interne, une approche qui conduit très vite vers l'abstraction. Ces éléments ont été exploités au départ dans une série de dessins, afin d'organiser les éléments séparés de la composition en un tout cohérent. Il est difficile d'analyser la structure interne d'un groupe de personnes lorsque les références sont uniquement bidimensionnelles, mais si une figure vous pose un problème, vous pouvez demander à quelqu'un de poser pour vous, afin d'étudier la pose de plus près. Un élément important au premier plan et un élément plus petit à l'arrière-plan permettent de créer une perspective et de donner un sens à l'échelle. Les éléments de la composition se chevauchent. Même les objets qui ne se touchent pas semblent ici en contact, ce qui est une autre façon de suggérer l'espace dans un tableau.

La toile est remplie d'une lumière provenant d'une seule direction : la verrière de la salle de cours. La lumière est exprimée par la projection sur les objets et les formes. Ces facettes récurrentes de taches de couleur claire créent un motif rythmé et géométrique sur toute la surface. Le thème du clair opposé à l'obscur, et vice versa, est constant. C'est particulièrement net dans les figures des étudiants : les visages sont de profil sur un fond clair, et ce sont les espaces autour d'eux plutôt que les lignes qui les font ressortir.

1 La peinture a été réalisée d'après une diapositive 35 mm de la scène, que l'artiste a interprétée librement.

2 Voici l'un des dessins qui ont permis d'explorer les différentes voies de la composition du sujet – *à droite*. Notez le souci du peintre pour la structure et l'espace.

FROTTIS

Dans le frottis, une zone opaque est recouverte d'une autre couleur, de façon très légère, pour que la couleur sous-jacente influe sur la nouvelle couche. En général, la peinture appliquée est sèche et opaque, et la couleur en dessous apparaît irrégulièrement. La peinture peut être appliquée de différentes manières – clair sur sombre, ou le contraire –, à la brosse, au chiffon, ou même au doigt. Le Titien utilisait cette technique dans les œuvres de sa maturité : combinée avec des glacis, elle lui permettait d'élaborer de fins voiles de couleur.

3 *Ci-dessus :* l'artiste prépare un fond multicolore en mélangeant plusieurs couleurs, de l'ocre très pâle au gris foncé. Il les applique avec un chiffon imbibé d'essence de térébenthine.

4 L'ébauche est réalisée au fusain, facile à effacer. *A gauche :* l'artiste a déplacé la jeune femme vers la gauche.

5 *Ci-dessus :* le peintre pose les couleurs localisées, et accentue les formes géométriques des espaces négatifs en les peignant en noir.

135

6 La peinture est
une combinaison d'espaces
se chevauchant – *à gauche*.
Mais les espaces entre les objets
contribuent de manière
aussi importante. L'artiste crée
une tension entre les éléments
spatiaux du sujet
et les éléments descriptifs
du motif, aussi le spectateur
est-il conscient du plan
du tableau.

7 L'éclairage naturel zénithal
joue sur tous les objets.
L'artiste simplifie les zones
d'ombre et de lumière
pour que le tableau,
bien que réaliste, acquière
une qualité abstraite
– *à gauche*.

8 *Ci-dessus :* l'artiste exécute un
frottis sur une épaule qui
recueille la lumière. L'image
finale – *page ci-contre* – est un
motif complexe de formes
imbriquées, dans lequel bleus
et ocres prédominent. L'artiste
a réussi à accentuer la
géométrie et l'aspect répétitif du
sujet, tout en créant une image
détaillée de sa classe au travail.

Le Cours de peinture

Les outils de l'artiste

Un panneau en Isorel 61 x 76,2 cm, préparé avec un apprêt à l'huile Roberson. Il a utilisé un pinceau plat en soies de porc nº 7 et un pinceau rond effilé nº 8. Le dessin a été réalisé au fusain.

Couleurs : ocre jaune, terre de Sienne brûlée, blanc, noir, rouge léger, jaune de cadmium, vert de chrome, bleu de cobalt, outremer, terre de Sienne naturelle, bleu turquoise.

Le croquis à l'huile

Les croquis rapides présentés dans les pages suivantes ont été réalisés d'après nature. L'huile est un médium souple et expressif, et, utilisé de cette façon, il permet de travailler avec la matière qui servira à la peinture définitive. Les artistes ont utilisé des techniques différentes. Ils se sont servis de couleurs lavées, très diluées, ou au sortir du tube, puis ont retravaillé par-dessus au pastel à l'huile, au crayon, ou avec d'autres outils.

Ces croquis montrent l'artiste étudiant le sujet d'après nature, dans un rapport direct qui est la base de tout grand art. On ne maîtrise jamais l'étude d'une figure, ou de tout autre sujet d'ailleurs, car, chaque fois que vous dessinez ou peignez d'après modèle, vous vous trouvez engagé dans une situation d'apprentissage nouvelle. C'est la fraîcheur de l'approche et la volonté de toujours apprendre qui distinguent le bon artiste. Vous découvrirez que les artistes les plus talentueux, les plus avertis et les plus habiles, ceux que vous admirez le plus, dessinent et réalisent des esquisses en permanence, avec la même passion que lorsqu'ils étaient étudiants.

Positionnez votre modèle, et commencez par une série de croquis, pendant cinq minutes. Si vous travaillez en groupe, ou même seul, réglez l'alarme d'un réveil sur cette durée. Vous pouvez ensuite passer à des séances de pose de dix minutes. Ces études vous obligent à sélectionner les éléments les plus importants, car vous n'avez pas le temps de vous consacrer aux détails. La tache peut sembler impossible au début, mais, après un temps, vous comprendrez l'importance de la pose, et l'intérêt de savoir la saisir. Ces esquisses rapides amélioreront votre coordination œil-main, de la même façon que des exercices de réchauffement pour un athlète.

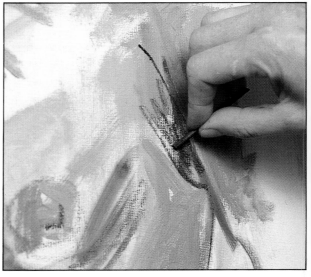

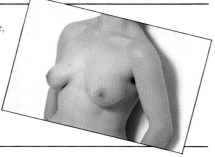

1 Pour cette peinture, l'artiste a cadré le torse, ce qui lui permet de se concentrer sur les formes.

2 *En haut :* l'artiste trace au fusain les grandes lignes, qu'il travaille au pastel à l'huile pourpre, et passe en fond un lavis de peinture diluée en demi-tons. L'image repousse les limites du cadre, attirant l'attention sur les espaces entre le torse et les bords de la toile.

3 *Ci-dessus :* des couleurs chaudes et froides dessinent les formes : des roses et des ocres chauds pour la courbe des seins, des épaules et des hanches, des gris froids dans la zone qui n'est pas éclairée. Le fusain précise les ombres sous le bras.

LA PEINTURE AU CHIFFON

Sur ces trois illustrations, l'artiste se sert d'un chiffon pour couvrir de peinture la zone qui correspond, en gros, aux formes principales du corps. C'est la méthode directe : le peintre agit directement sur la peinture, modelant les formes un peu comme il le ferait avec de l'argile. Il travaille ensuite au pastel à l'huile. Cette approche est intéressante, puisqu'il suffit d'avoir sur soi un carnet de croquis, quelques tubes de peinture et quelques pastels à l'huile pour saisir une image, ses lignes et sa couleur. La peinture est utilisée au sortir du tube, ce qui dispense le recours à une palette.

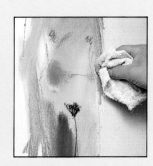

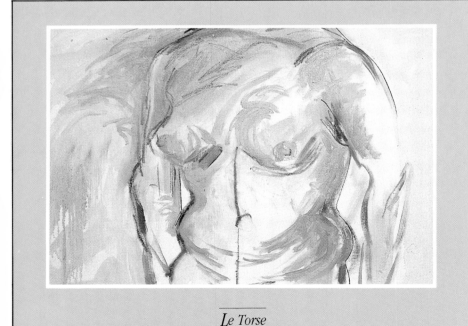

Le Torse

Les outils de l'artiste

Le dessin a été exécuté sur une feuille de papier pour croquis à l'huile. Hors le fusain et le pastel à l'huile pourpre, l'artiste a utilisé un ocre jaune, un gris de Payne et un ton chair.

1 Ce modèle à demi vêtu
est l'occasion d'une étude
des contrastes entre la texture
du tissu et la peau.
Les artistes ont chacun
une approche différente
du même sujet.

2 L'artiste trace les grandes lignes
au fusain. Avec un gros pinceau,
il passe le ton chair sur le visage,
le torse et les jambes.

3 Les détails des yeux
et des mains sont reproduits
au crayon – *ci-dessus*.
L'artiste applique au pinceau
les tons plus foncés des jambes,
et peint les pois de la robe
de chambre directement
au sortir du tube.

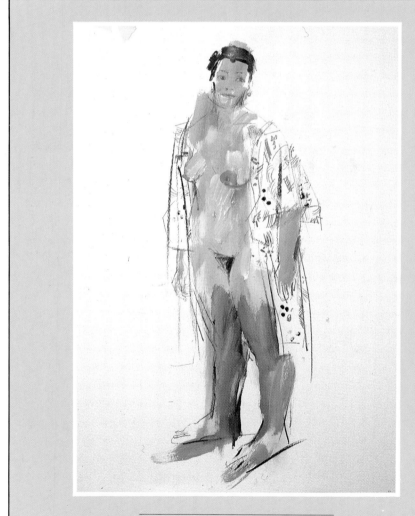

Francesca en robe de chambre (1)

Les outils de l'artiste

Une grande feuille
de papier pour croquis
à l'huile.
Couleurs : ocre jaune,
gris de Payne, noir, ombre
naturelle et vermillon.
Le médium utilisé
est l'huile de lin, le pinceau
une brosse en poil
de martre n° 5,
le crayon un 4B.

1 et **2** Ce croquis utilise une palette de divers ocres et de gris. L'artiste a travaillé directement sur le support avec de la peinture à l'huile diluée à l'huile – *à droite*. La matière devient plus fluide, et les couleurs se fondent aisément – *à l'extrême droite*.

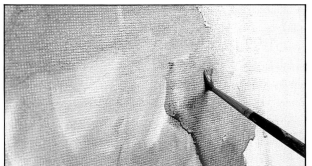

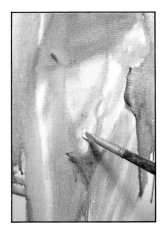

Francesca en robe de chambre (2)

3 L'artiste pose des rehauts avec de la peinture blanche – *ci-dessus*. Puis elle se sert d'un crayon et d'un fin pinceau chargé de noir pour modeler les traits du visage, les boucles d'oreilles et l'intérieur de la jambe.

Les outils de l'artiste

Une feuille de papier cartouche lourd a servi de support. Couleurs : ton chair et rouge de cadmium. Fusain et crayon 2B.

1 Cette pose révèle
des formes intéressantes.
Les bras levés, la tête tournée
et les tons subtils de la peau
sont traduits de différentes
façons par chacun des artistes.

2 L'artiste réalise un rapide
croquis à l'encre. Elle veille
aux volumes et aux angles
entre les différentes parties
du corps. Rapidement,
avec un gros pinceau de martre
– *à droite* –, elle étale
de larges surfaces d'ocre jaune,
travaillant la matière
pour qu'elle soit plus dense
dans les zones sombres.

Francesca de dos (1)

3 Un ton chaud est appliqué
sur le fond, ainsi qu'un
mélange de gris pour l'ombre
sur le mur. L'artiste dessine
ensuite au crayon doux dans la
peinture – *ci-dessus au centre.*

4 *Ci-dessus :* avec un blanc
très dilué, l'artiste reproduit
la lumière sur le dos
et les épaules, pour préciser
les plans. L'image finale
est un exemple de l'efficacité
de l'huile pour ce type
de croquis rapide.

Les outils de l'artiste

Une grande feuille
de papier pour croquis
à l'huile.
Couleurs : ocre jaune,
rouge vénitien et blanc.
Outils : un morceau
de chiffon, trois pastels
à l'huile et un crayon.

1 Un autre artiste appréhende le même sujet à sa façon – *à droite*. Il prépare un ton chair à base d'ocre jaune, de rouge vénitien, et utilise un chiffon pour imprimer les formes du corps par-dessus son dessin au crayon.

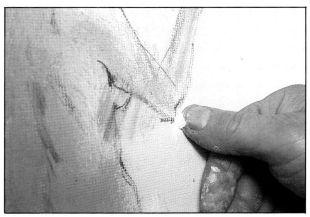

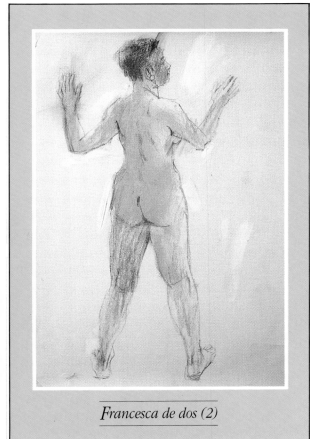

Francesca de dos (2)

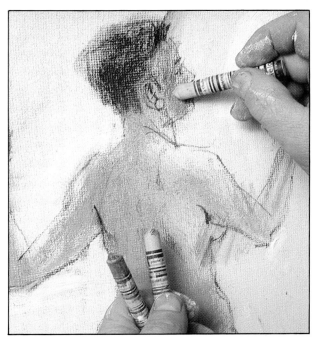

2 *En haut :* l'artiste met au point les formes, en utilisant un mélange de pastels pourpre, gris et brun et une mine de plomb. Il travaille le fond au pouce et à la peinture à l'huile, se servant de la forme négative pour corriger son dessin.

3 *Ci-dessus :* des traits de pastel sont appliqués sur le visage selon la technique divisionniste, la tonalité étant reconstituée par l'œil du spectateur.

Les outils de l'artiste

Une feuille de papier cartouche, un crayon, un pinceau en poil de martre.

Couleurs : géranium, ton chair, ocre jaune, jaune de cadmium, bleu de cœruleum et blanc.

1 Cette pose
est la plus complexe
de la série.
Le modèle
est une danseuse
dont les attitudes
sont très naturelles.

2 Avec une peinture diluée
de ton chair, l'artiste ébauche
les formes principales
– *ci-dessous à gauche.*
La matière sèche vite
sur le papier, assez absorbant,
permettant de retravailler
par-dessus au crayon 4B.

3 Une couleur ocre
est appliquée avec les doigts
sur les zones ombrées
de la jambe – *ci-dessous.*
L'artiste utilise un crayon noir
pour accentuer les lignes
et exploiter les épaisseurs
des ombres.

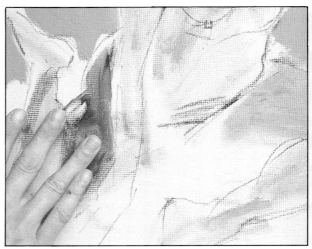

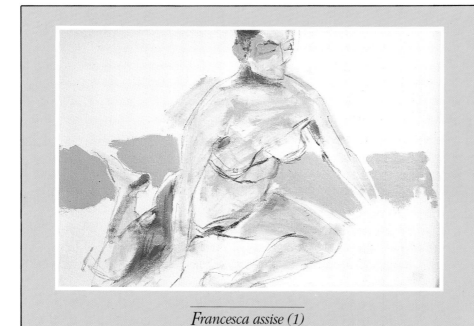

Francesca assise (1)

Les outils de l'artiste

Une feuille de papier
cartouche A3.
Outils : un pinceau rond
en soies de porc n° 10,
un petit pinceau en poil
de martre, un crayon
Prismalo (aquarelle) noir.
Couleurs : jaune Turner,
ocre jaune, bleu
de cœruleum, blanc,
rouge léger de naphte,
ombre naturelle,
vert billard.

1 *A droite :* l'artiste applique au chiffon un ton chair pour indiquer les grandes masses. Puis, au crayon noir doux, il dessine les contours qui délimitent les formes : le bout des doigts, la ligne des seins et la courbe de l'épaule et du bras.

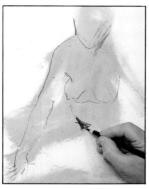

2 L'artiste travaille le visage au crayon noir, créant différents effets – *ci-dessous à gauche.* Le crayon, qui s'efface à l'eau, peut produire des traits très noirs et une texture à l'aspect de frottis.

3 Le crayon est utilisé pour dessiner le motif de la robe de chambre – *ci-dessous.* Le croquis est rapidement achevé, car l'artiste maîtrise sa technique et travaille depuis des années d'après nature.

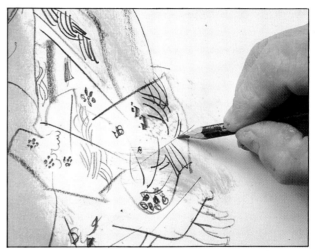

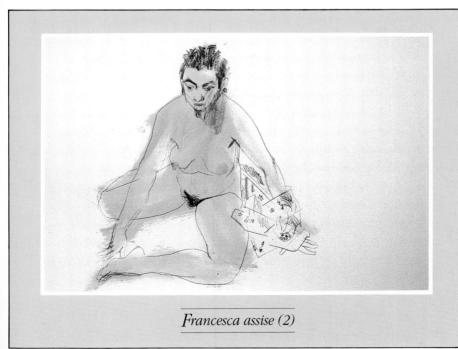

Francesca assise (2)

Les outils de l'artiste

Une grande feuille de papier cartouche, une peinture à l'huile au ton chair, de l'ocre jaune et du blanc appliqués avec un petit pinceau en poil de martre. Elle s'est également servie d'un crayon 4B et d'un crayon Conté 4B.

Femme en noir

Ce qu'un artiste rejette dans une peinture est souvent presque aussi important que ce qu'il y introduit. De remarquables tableaux mettent en scène de vastes surfaces dans lesquelles rien ne se passe. Botticelli (vers 1445-1510), le Titien, et David Hockney (né en 1937) aujourd'hui, illustrent cette pratique, souvent utilisée pour le portrait, où un fond froid épuré permet d'attirer l'attention sur le visage du modèle.

Pour ce tableau, l'artiste a opté pour une composition simple, représentant le personnage en silhouette sur un fond pâle, créant du même coup un jeu de formes claires et découpées. La pureté de sa géométrie en fait une œuvre presque abstraite.

La composition, divisée en grandes plages aux couleurs éteintes, donne un sentiment de stabilité, de repos, plongeant le spectateur dans une attitude contemplative. Les espaces vierges peuvent servir à mettre en valeur les zones importantes. Mais dans un tableau très animé, toutes les zones peuvent présenter le même intérêt. L'artiste lance en quelque sorte un défi au spectateur, et le regard, qui ne peut jamais se poser, est invité à se promener sur toute la surface. En réalité, aucune zone dans un tableau n'est jamais complètement vierge. Même si le support est apparent, il constitue toujours une zone de couleur, et non pas un vide ou une absence.

Ici, l'artiste avait une idée très précise de la composition, de la méthode et de la distribution des zones de couleur. Ayant préalablement travaillé son sujet sur un carnet de cro-quis, il a exécuté un dessin précis sur la toile. Il est resté très proche du dessin, peignant avec soin en couches minces, faisant émerger l'image par fragments, comme un puzzle. Il a utilisé une gamme de couleurs simples, les tons chauds de la chair contrastant avec le rouge chaleureux du couvre-lit et le noir des cheveux et du vêtement du modèle. Cette peinture est l'exemple d'une approche contrôlée et réfléchie : elle montre qu'il ne suffit pas de brosser ses couleurs avec énergie pour créer une image forte.

Bien entendu, la façon dont vous travaillez la matière dépend de votre objectif, du sujet, voire de votre humeur.

1 L'artiste a choisi cette pose naturelle, sur un fond froid, dépouillé.

2 L'artiste travaille directement sur le support, indiquant les grandes lignes et les zones de tonalités – *à gauche*.

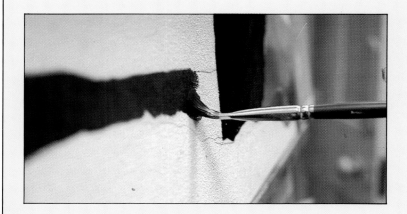

L'APLAT DE COULEUR

Les manières d'appliquer
la peinture à l'huile sont
innombrables. Après les frottis,
les glacis et les empâtements,
voici l'aplat non texturé. L'artiste
utilise un petit pinceau
pour étaler la matière
très doucement. Les couleurs
et les marques de peinture
présentent des degrés de fluidité
différents, aussi l'artiste utilise-t-il
de l'essence de térébenthine
ou du white spirit pour veiller
à la matière. Le Liquin, substance
à base d'alkylant, est très utile
pour les aplats : il améliore
la fluidité, et facilite donc
la manipulation de la peinture.

3 Avec un petit pinceau en poil de martre
chargé de noir, le peintre exécute
la chevelure, laissant le blanc du support
jouer le rôle de reflets – *ci-dessus*.
Il mélange du noir et de l'ombre naturelle
pour les tons chair très foncés,
et applique la peinture avec soin.

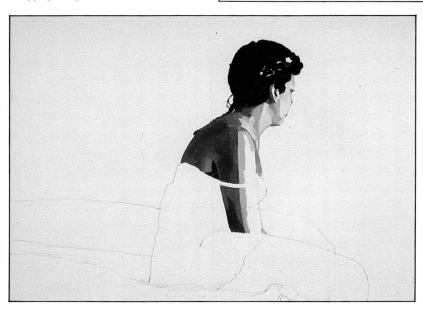

4 *A gauche :* avec une peinture assez fluide
diluée à l'essence de térébenthine,
le peintre travaille la totalité du visage,
divisant les plans en zones d'ombre
et de lumière.

5 Dans le détail *ci-dessus*, l'artiste ajoute du noir et de l'ombre naturelle au ton chair pour obtenir un brun foncé dans les parties les plus sombres. Notez la manière dont la texture de la toile reste apparente sous la fine couche de peinture, unifiant du même coup l'ensemble de l'œuvre.

6 Avec un noir pur, le peintre commence à travailler la partie la plus sombre – *à gauche*. Il laisse des zones pâles, qui recevront une couleur plus claire un peu plus tard.

Femme en noir

7 L'artiste prépare un mélange onctueux à partir d'ombre naturelle et de blanc, et recouvre le fond à la brosse n° 5 – *à gauche*. La peinture est fluide, et ne retient pas les marques de pinceau, créant une surface mate, sans texture. Puis le peintre s'attaque aux rouges du couvre-lit, et achève par quelques détails – *ci-dessus*.

Les outils de l'artiste

Le support est une toile 51 x 61 cm, apprêtée avec une émulsion et un glacis émulsionné. Les couleurs : blanc, ocre jaune, orange de chrome, rouge de cadmium profond pour les tons chair, bleu de cobalt pour les zones froides, ombre naturelle et noir. Pinceaux en poil de martre n°s 3 et 5 et pinceau en soies de porc n° 5.

CHAPITRE DIX

LA NATURE

La nature offre le plus extraordinaire des matériaux. Les plantes et les fleurs sont des sujets omniprésents, qui s'offrent à nos yeux tout au long de l'année. Votre propre jardin est une source inépuisable d'inspiration, d'autant que les végétaux sont encore plus beaux représentés *in situ*. Les petits objets ramassés dans les allées ou les chemins, tels plumes, cailloux, brindilles, feuilles, mousses et lichens, peuvent s'assembler et s'organiser en natures mortes riches de couleurs et de textures. Les animaux, par exemple les oiseaux, sont moins faciles à traiter. Généralement méfiants, il faut être très patient avec eux, et adopter des techniques d'approche ingénieuses. Si vous vous intéressez aux animaux sauvages, vous pouvez toujours vous rendre dans un zoo, un parc naturel, un musée, ou travailler d'après des livres ou des photographies. Le poissonnier peut vous proposer les riches couleurs des carapaces des crustacés, le vif argent du maquereau, ou les irisations subtiles de la truite. La nature est un sujet d'une richesse infinie.

Cactus

Dans ce tableau, l'artiste a tenté de reproduire le graphisme abstrait de la plante, son aspect épineux, et ses dentelles régulières. Les feuilles grasses, à la surface gris-vert rayée de jaune pâle, possèdent une indéniable géométrie, que l'artiste a identifiée, explorée, et exploitée attirant notre attention de différentes manières. Par exemple, il place le cactus très bas dans le cadre de l'image, ce qui amplifie le jaillissement des formes et dépouille l'arrière-plan, pour que l'image reste simple sans perdre de son réalisme.

Il a utilisé un Isorel entoilé, à la surface très peu texturée, qui convient à son travail de la matière. Il étale celle-ci en couches minces et au pinceau fin.

Comme vous pouvez le voir, il a choisi de modifier radicalement son dessin, supprimant une bande en bas de l'image. En travaillant, il s'est aperçu que le caractère abstrait du sujet s'imposait. Il a donc décidé de resserrer le cadrage jusqu'à ce que certaines feuilles débordent et créent une impression d'énergie, comme si la plante essayait de se développer au-delà des marges. Il a également déterminé une vaste surface neutre en haut de l'image, qui met en valeur la silhouette dentelée du végétal. Grâce à cette technique, les espaces entre les feuilles prennent plus de poids, car ils sont eux aussi piégés par les bords de la toile.

L'arrière-plan a été traité en dernier. La manière littérale d'interpréter le rebord de la fenêtre, sur lequel repose la plante, renforce l'aspect abstrait. L'encadrement autour de l'ouverture a été rendu par une matière lisse, sans texture. Le verre et ses reflets sont traduits par la surface du support, laissée blanche, non peinte.

Ici, l'objet est le point de départ du tableau plutôt que son sujet. L'artiste est moins concerné par la réalité de la surface que par son existence dans l'espace. Il peut alors se concentrer sur les qualités décoratives des formes et sur l'équilibre et les tensions qui les relient.

1 Les feuilles charnues et piquantes de cette plante possèdent une qualité abstraite évidente, que l'artiste a su exploiter.

2 L'artiste réalise une ébauche au crayon, directement sur le support. Avec de la peinture diluée à l'essence de térébenthine, il commence à reproduire les feuilles – *ci-dessous*.

L'APPUI-MAIN

L'appui-main est un outil extrêmement utile,
qui sert à reposer et stabiliser la main lorsque
vous travaillez un détail. Le modèle traditionnel
est une baguette en bambou terminée
par un tampon recouvert de peau de chamois.
Aujourd'hui, il est fabriqué dans toutes sortes
de matériaux, y compris l'aluminium,
mais vous pouvez facilement en créer un
en recouvrant l'extrémité d'un morceau de rotin,
de laine, de coton ou d'éponge. Faites reposer
la partie rembourrée de l'appui-main sur la toile
ou le bord du support pour ne pas toucher
à la peinture, et appuyez votre main,
celle qui peint, sur le rotin.

3 *A gauche :* les feuilles
sont peintes avec un mélange
de verre anglais n° 3,
de gris de Payne et de blanc.
Les proportions varient
pour traduire les subtilités de
tonalité.

4 L'artiste met au point
les feuilles jaillissantes
avec un mélange gris-vert
– *ci-dessous*. Un jaune mélangé
à du blanc et teinté de gris
de Payne souligne la bordure
des feuilles.

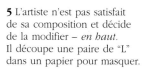

5 L'artiste n'est pas satisfait de sa composition et décide de la modifier – *en haut.* Il découpe une paire de "L" dans un papier pour masquer.

6 *Ci-dessus :* il choisit d'amputer le cactus, afin que les feuilles donnent l'impression de repousser le cadre de l'image. Avec une règle d'acier et un cutter, il découpe un bandeau de 4 cm à la base de l'image.

7 *En haut,* le fond est passé à la peinture très diluée. L'artiste a simplifié les éléments pour renforcer leur qualité graphique.

8 Le pot de plastique est reproduit à la peinture noire appliquée en fine couche, *ci-dessus.* L'œuvre achevée – *ci-contre* – montre comment un sujet très simple peut être magnifié par une composition étudiée.

Cactus

Les outils de l'artiste

Le support est un morceau en Isorel entoilé 61 x 71 cm. Sa palette se compose de vert anglais n° 3, jaune de cadmium, blanc de titane, bleu de cobalt, noir d'ivoire et gris de Payne. Pinceaux en poil de martre n°s 3 et 5, règle métallique, cutter et crayon B.

Nature morte aux coquillages

De nombreux artistes sont sensibles aux problèmes de rythme. Ces courants cachés, qui guident le regard sur la surface peinte, font appel à des procédés de composition qui renforcent et exploitent l'énergie inhérente au tableau, sa forme, ses dimensions, et les relations entre ces éléments. Dans certaines œuvres, l'intérêt est concentré au centre de l'image, alors que les angles et les marges restent inoccupés. Dans d'autres, l'activité emplit la totalité de la surface picturale. Ces approches, bien que différentes, créent une dynamique. Dans le premier exemple, l'œil revient sans cesse vers le centre du tableau ; dans le second, il se promène sur toute la surface. L'artiste, conscient de cette énergie, peut l'exploiter pour atteindre ses objectifs, établir une rupture de l'harmonie, obliger le spectateur à regarder exactement là où il veut le conduire.

Les tableaux les plus réussis sont composés de surfaces plutôt que d'images plus ou moins habilement assemblées ; elles s'imbriquent pour créer un motif d'ensemble. Des surfaces de toutes dimensions se mêlent et se chevauchent pour mettre en valeur la totalité du plan de l'image de façon que les espaces négatifs entre les objets deviennent aussi importants que les images elles-mêmes. Ceci est également vrai en architecture, où les espaces clos font partie du projet, et en musique, où les silences et les intervalles entre les notes jouent un rôle important.

L'artiste a disposé une nature morte avec des fleurs, réunissant un assortiment d'objets aux formes, couleurs et textures variées. Il a choisi un point de vue en plongée, qui fait ressortir les espaces entre les objets. Une contre-plongée aurait créé un sentiment de recul de l'espace interne du tableau. Il a accentué les éléments décoratifs en dessinant un trait autour des objets, pour rendre les formes plus abstraites, comme si elles étaient découpées dans l'espace. Les qualités linéaires sont mises en valeur afin que les formes soient perçues dans leur bidimensionnalité plutôt que dans leur volume. Les bordures ne sont pas traitées comme un espace de transition, mais comme une forme. L'artiste avait d'abord choisi un cerné noir, puis a opté pour une ligne blanche grattée dans la matière.

Dans ce tableau, couleurs, motifs et texture ont la même importance. La composition habite toute la surface, et les jaunes utilisés sont les complémentaires des pourpres. Certains artistes savent ce qu'ils veulent obtenir avant même de commencer. La composition se développe très clairement dans leur esprit, et la peinture elle-même n'est plus qu'un problème d'exécution. D'autres travaillent différemment, et font évoluer leur projet au fur et à mesure de l'exécution. Dans cet exemple, l'artiste avait son idée dès le départ, jouant davantage avec les couches successives qu'avec les corrections. Ces étapes sont perceptibles dans le rendu final.

1 Pour cette nature morte, l'artiste a choisi des objets de forme et de texture variées – *à droite*. Le fond ne doit pas être négligé pour autant dans une composition de ce type.

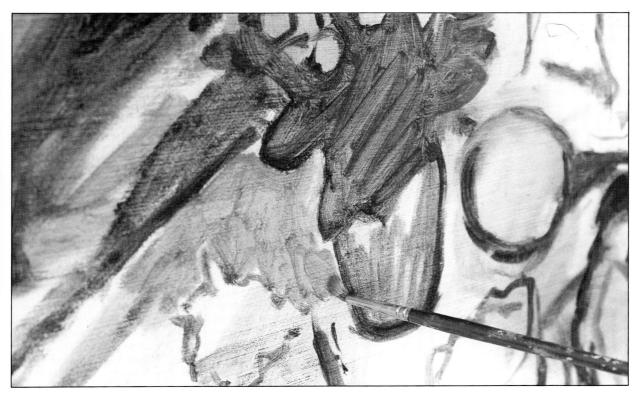

2 L'ébauche est exécutée
avec un noir et un blanc dilués
à l'essence de térébenthine
et au Liquin – *à gauche*.
Un pinceau n° 3 en poil
d'écureuil permet de travailler
très librement, le chiffon
d'écraser ou de relever
la matière, de préciser le dessin,
et d'obtenir une harmonie
d'ensemble.

3 *Ci-dessus :* l'artiste choisit
de traiter son ébauche en noir,
pour mettre en valeur
les couleurs à venir.
Puis il distribue les détails
avec du bleu turquoise
et du jaune indien,
deux pigments particulièrement
transparents.

4 Il poursuit – *à droite* –
au pinceau fin, et ajoute
du Liquin à ses pigments
pour augmenter la transparence
et le temps de séchage.
Ces couleurs possèdent
une translucidité et une
brillance qui évoquent
les vitraux.

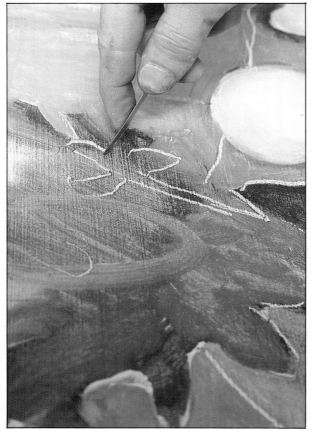

5 *Ci-dessus à gauche :* l'artiste peint le fond au blanc de zinc, appliquant un fin voile de couleur, à travers lequel l'ébauche transparaît encore. Il utilise une matière plus épaisse autour des fleurs, pour retravailler les formes et affiner les silhouettes.

6 Avec la pointe d'un couteau à peindre, il dessine dans la peinture fraîche. Cette technique, appelée *sgraffito,* révèle le fond blanc, et crée des contours blancs bien marqués. Il efface avec un chiffon une zone de peinture qui ne lui convient pas – *ci-dessus.*

7 L'artiste continue à dessiner dans la matière maculée et brouillée – *à gauche.* Le *sgraffito* est une technique de dessin sans peinture, utile pour les couches épaisses ou pour les sujets complexes.

8 Le tableau évolue – *à gauche*. L'artiste s'intéresse aux qualités décoratives du sujet, à la couleur et au motif, et travaille un trait à la fois descriptif et décoratif pour unifier sa composition.

9 Avec une brosse chargée d'un mélange onctueux de blanc, de rose garance et d'ocre jaune, l'artiste commence à peindre le coquillage – *en bas à gauche*. La surface jaune indien montre ici la transparence de cette couleur.

SGRAFFITO

Cette technique consiste à gratter une couche de peinture pour révéler la couche antérieure ou le support. Elle crée un trait, mais contribue également à la texture. L'artiste se sert parfois du manche du pinceau. Ici, il utilise le couteau à peindre comme un instrument de dessin.

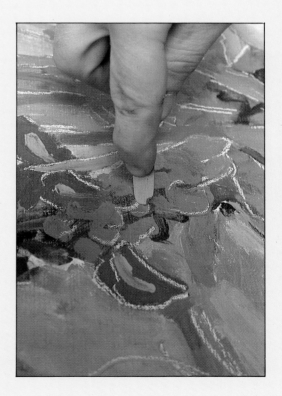

10 Le travail progressant
– *ci-dessus* –, la couche
de peinture devient de plus
en plus opaque, et les éléments
se précisent jusque
dans les détails.
Comparez cette étape
aux précédentes.

11 L'artiste peut créer un motif
sur toute la surface de la toile
en disposant des petits
éléments également répartis
– *à droite*. Le point de vue
en plongée, créant des formes
qui se chevauchent peu, met
en évidence leur isolement.

12 L'extrémité large
d'un couteau à palette permet
de créer une texture et un motif
sur la surface du coquillage –
ci-dessous.

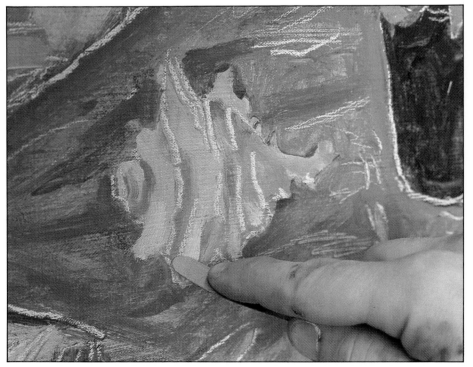

Les outils de l'artiste

Le support est une toile très
fine 45,7 x 35,6 cm.
Les couleurs : noir, bleu
turquoise, jaune indien,
blanc de zinc,
vert permanent, ocre jaune,
bleu de cobalt, carmin,
bleu de phtalocyaline,
rose garance,
violet de cobalt clair
et vert billard dilués
au Liquin et à l'essence
de térébenthine.
Pinceaux en poil d'écureuil
n° 3 et pinceau en soies
de porc n° 5,
couteau à palette.

Nature morte aux coquillages

Pivoines

Chaque artiste a ses propres préoccupations, et même si elles sont différentes d'un tableau à l'autre, les thèmes récurrents parcourent toute œuvre. Un peintre peut s'intéresser essentiellement à la couleur, tandis qu'un autre s'attachera aux lignes et aux tonalités. Ce tableau a été exécuté en extérieur, et bien que l'artiste en donne une représentation réaliste, il s'agit là d'une étude de dessin et de couleur. Les qualités proprement "picturales" n'apparaissent pas – comme le pinceau et sa marque –, mais le tableau possède cependant une couleur et un modelé riches. Cette différence dans l'approche rend l'étude d'une peinture passionnante, mais interdit l'édiction de règles de bonne ou de mauvaise pratique.

La création d'un motif n'est pas davantage un processus conscient : l'artiste n'a généralement pas l'intention de construire un "bon" motif. Il s'intéresse à un sujet particulier, et les possibilités de motif s'imposent d'elles-mêmes. Le motif peut provenir de la répétition. Ce n'est pas seulement un problème de création d'une surface décorative, mais d'organisation, de la même façon qu'un compositeur met en ordre les notes d'une sonate. Le motif existe dans la nature, et, ici, l'artiste a simplement noté ce qu'il voyait, en accentuant les similitudes plus que les différences. Il a cependant introduit un élément personnel : la grille, au fond, qui produit une illusion d'espace. Nous imaginons qu'elle se trouve derrière les pivoines, parce qu'elle est plus élevée dans le plan de l'image.

Par ailleurs, les pivoines se superposent à la grille, ce qui les situe dans l'espace. Les fleurs derrière la grille sont moins définies, leurs contours moins précis, et leurs couleurs plus pâles, créant un sentiment d'espace plus lointain. En masquant avec la main ou avec une feuille de papier le haut du tableau, vous verrez comment l'œuvre se transforme totalement, une fois les valeurs spatiales annulées.

1 Ce sujet a été peint en extérieur, dans le jardin de l'artiste, qui a été séduit par les verts du feuillage et le pourpre complémentaire des fleurs.

2 Le support a été préparé avec un fond gradué. Au pinceau plat n° 7, l'artiste ébauche les feuilles – *à gauche* – avec des tons moyens et légers et un mélange de bleu turquoise, de vert anglais n° 3, de jaune de cadmium et de blanc.

3 Le fond teinté donne à l'artiste la tonalité la plus soutenue, ce qui lui permet de travailler du foncé vers le clair – *page ci-contre à droite*. La peinture sèche est frottée, afin que le fond modifie les couleurs qui lui sont superposées.

TEINTURE

On peut teindre une toile de la même façon
que le papier aquarelle. Certains peintres
utilisent une toile non préparée,
afin que la teinture l'imprègne bien,
mais cette technique peut limiter la durée de vie
du support, car les composants chimiques
attaquent la toile, que l'huile dégradera
encore davantage. La teinture s'applique
directement sur la toile, à la différence du glacis,
passé sur une couche de peinture.
Pour obtenir le même effet sans teinture,
il faut utiliser une peinture très colorante.
Ici, l'artiste a utilisé une palette de couleurs
– vert de chrome, bleu turquoise, vert anglais
n° 3 et bleu de Prusse –, et travaillé la matière
dans le grain. Il a dégradé les couleurs sur toute
la surface avec un chiffon imbibé d'essence
de térébenthine pour obtenir des tons
plus légers.

4 L'artiste poursuit
de la même manière jusqu'à
ce que le tracé des feuilles
recouvre la totalité de la toile,
excepté dans la partie haute
– *à gauche*. La répétition
du motif souligne les qualités
du sujet.

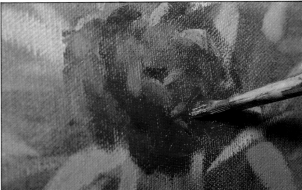

5 *En haut à gauche :* l'artiste ajoute du blanc au mélange vert, et pose des rehauts sur certaines feuilles pour suggérer le reflet du soleil.

6 *En haut à droite :* pour les riches tonalités des fleurs de pivoine, le peintre mélange plusieurs tons : rouge de cadmium, pourpre d'alizarine, géranium et blanc. Il commence par les tons les plus foncés, puis, lentement et avec minutie, il ajoute les tons plus clairs.

7 *Ci-dessus :* l'artiste introduit la grille de bambou pour animer la partie supérieure et créer une illusion d'espace. Le résultat final – *page ci-contre –* est un remarquable exemple de la manière dont les qualités décoratives peuvent être exploitées sans sacrifier le réalisme.

Pivoines

Les outils de l'artiste

Une toile préparée
du commerce en coton
grossier 61 x 45,7 cm.
Couleurs : bleu turquoise,

vert de chrome,
vert anglais n° 3,
bleu de Prusse, ocre jaune,
jaune de cadmium,

jaune citron de cadmium,
blanc de titane, outremer,
géranium, rose garance,
pourpre d'alizarine

et rouge de cadmium.
Pinceau plat n° 12 et
pinceau rond n° 10.

Renoncules

La brillance des couleurs de ces fleurs a particulièrement attiré l'attention du peintre. Elles sont réunies en un bouquet bien serré, et placées dans un vase court, qui convient à leurs formes et à leurs couleurs. L'artiste a soigneusement réfléchi à la composition, et choisi un fond net et dégagé, traité en aplats de couleur.

Il s'est intéressé aux espaces : les fleurs sont bien disposées, légèrement à gauche et en dessous du centre, dans un espace très aéré. S'il avait placé la composition plus bas, et donné plus d'importance au bouquet, il aurait créé une image toute différente. Les fleurs ne remplissent qu'une petite partie du tableau, mais constituent néanmoins l'élément le plus important. L'espace autour du sujet laisse une place suffisante aux ombres, qui deviennent à leur tour un élément fort de la composition.

Pour préparer une nature morte, il peut être utile de former un cadre avec les mains, ou d'en découper un dans une feuille de papier. Si vous hésitez encore, utilisez un appareil Polaroïd, et prenez une série de photos sous différents angles pour mieux juger de l'image. Essayez ce procédé : observez la version finale, découpez deux "L" en carton ou en papier, et faites-les glisser sur l'image selon différents cadrages, pour voir comment la composition peut être modifiée.

Il faut considérer le sujet comme une surface sur laquelle les formes et les couleurs sont disposées dans un certain ordre. L'artiste trace une première ligne, qui entre immédiatement en relation avec les bords de la surface : les tensions se créent. La ligne suivante tient compte des bords, de la surface et du premier trait, et le processus se répète à chaque nouvelle intervention. Il s'agit en fait d'un exercice extrêmement complexe.

L'artiste a exécuté l'œuvre en une succession de séances, en commençant par définir à l'acrylique les grandes zones. Cette peinture séchant rapidement, il peut très vite passer à l'étape suivante, qui consiste à poser de grands aplats de couleur non mélangée pour représenter les fleurs. Puis il attaque la peinture à l'huile. L'acrylique sèche vite, produisant par ailleurs une excellente surface, qui fait légèrement ressortir le grain de la toile. Le fond, le mur et le morceau de papier sur lequel est posé le pot de fleurs ne sont pas totalement lisses. Le mur blanc est traité dans des tons subtils de gris et de blanc sur le fond teinté. Dans les zones sombres, le fond, frotté à la peinture légère, transparaît. Par contraste, les fleurs sont quelque peu texturées, sans pour cela faire appel à des empâtements. La couche peinte est assez mince, et, de près, on peut voir apparaître à la surface de la trame de la toile un piqueté de blanc, qui anime le support en reflétant le scintillement de la lumière. L'artiste peut ainsi redessiner les contours de son sujet en travaillant le fond.

1 Ces fleurs éclatantes se sont imposées à l'artiste, qui a créé une composition soignée, tout en espaces et en couleurs.

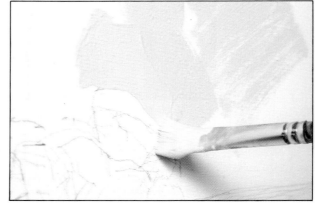

2 Après avoir décidé de la composition, l'artiste réalise une ébauche au crayon doux qui ne marque pas la toile ou le fond. Il recouvre ensuite le fond avec une peinture acrylique grise – *ci-dessus.*

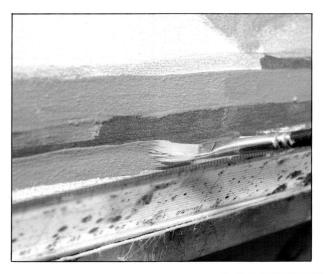

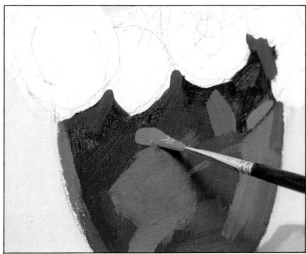

3 *Ci-dessus :* l'artiste utilise
une règle en plastique
pour dessiner le rebord
de la table. Les ocres bruns
sont mélangés à un ocre jaune,
un blanc et un orange
de chrome.

4 Une série de bleus créés
à partir du bleu de cobalt,
du gris de Payne et du blanc
traduisent les différents tons
du vase – *en haut à droite.*
L'artiste doit étudier le sujet
de près, car le motif blanc
trouble les changements
de tons.

5 La vaste surface du fond
vierge est traitée avec un gris-
vert mélangé à du bleu de
cobalt, de l'ocre jaune, du noir
et du blanc – *à droite.*
La peinture est appliquée sans
modulation, pour révéler la
toile plutôt que la cacher.

6 Les fleurs sont ébauchées avec des rouges, des jaunes et des pourpres – *à gauche*. L'artiste simplifie les formes, privilégiant les couleurs les plus sombres et les tons les plus clairs. Reproduire une fleur pétale par pétale est tentant, mais c'est souvent une erreur. Étudiez le sujet les yeux mi-clos, et peignez ce que vous voyez. La fleur émergera d'un motif d'ombre et de lumière.

UNE ÉBAUCHE COLORÉE

De nombreux peintres recouvrent de grandes zones d'une fine couche de couleur afin de faciliter l'organisation formelle et chromatique de l'image. Cette approche assez habile permet de fragmenter un tableau complexe en une série d'étapes plus facilement contrôlables. Ensuite, le peintre peut s'attacher aux détails. Ici, l'artiste a utilisé une peinture acrylique pour l'ébauche, ajoutant un peu plus d'huile à chaque application, technique appelée "gras sur maigre".
Il progresse peu à peu, et s'attaque aux détails, chaque couche ne couvrant pas forcément toute la toile, ni ne masquant la totalité de la couche précédente. En l'occurrence, le travail est plus approfondi sur les fleurs, où la peinture est par endroits plus épaisse. Si vous travaillez plutôt en épaisseurs, faites en sorte que la première couche soit mince. L'empâtement de la première couche rend les couches suivantes plus délicates à appliquer.

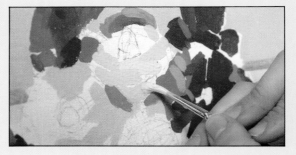

7 *Ci-dessus* : jusque-là,
l'artiste s'est servi de l'acrylique
pour achever la peinture
en une seule séance.
L'acrylique sèche rapidement,
et convient bien à l'application
des couches suivantes, à l'huile.
Il commence ensuite à travailler
à l'huile, diluée à l'essence
de térébenthine, et,
avec un pinceau fin,
il précise le motif de feuillage
sur le vase. Il revient
enfin sur les fleurs elles-mêmes,
pour améliorer le fini.

8 L'artiste poursuit son travail
sur les fleurs à la peinture
à l'huile diluée – *à gauche*.
Au fur et à mesure
que les couches
sont appliquées
et se chevauchent,
la gamme de tonalités s'affirme,
et unifie les formes disparates.

9 *Ci-dessus :* il mélange
un bleu outremer saturé
et un peu de noir
pour intensifier les parties
du pot restées dans l'ombre.

10 Le peintre prépare
ensuite un mélange onctueux
de blanc et d'ocre jaune
pour les demi-tons de la surface
blanche – *ci-dessus*.

11 Il passe un fin voile
de peinture à l'huile blanche
sur le papier placé sous le vase
– *à droite* –, pour réveiller
les contrastes, donner de l'éclat
à l'image, et pouvoir
ainsi préciser le contour
des fleurs.

Renoncules

Les outils de l'artiste

Le support est une toile 55,9 x 50,8 cm en coton apprêté avec un glacis émulsionné mélangé pour moitié avec une peinture émulsionnée, et appliqué en plusieurs couches.

L'ébauche a été exécutée à la peinture acrylique, le reste du tableau à la peinture à l'huile extra-fine.
Couleurs : blanc de titane, noir d'ivoire, gris de Payne, bleu de cobalt, phtalocyanine, outremer, pourpre d'alizarine, rouge de cadmium, ocre jaune, jaune de chrome et orange de chrome. L'artiste a utilisé un crayon 3B, un pinceau en poil de martre n° 4 et un n° 3 pour les détails.

Glossaire

ABSTRACTION Création d'une image abstraite par simplification des apparences naturelles.

ALLA PRIMA Technique de peinture directe : l'image est traitée en une seule séance, sans ébauche ni dessin.

APPRÊT Couche de préparation du support, afin de le rendre moins absorbant ou plus agréable à travailler. L'application d'une couche de colle, suivie d'un fond à l'huile, est un apprêt fréquemment utilisé.

APPUI-MAIN Outil servant à stabiliser le bras lors de l'exécution des détails. Une des extrémités est garnie d'un tampon mou, pour éviter d'endommager le support.

ART FIGURATIF Reproduction reconnaissable d'objets ou de figures.

CLAIR-OBSCUR Exploitation de l'ombre et de la lumière. Le terme est souvent utilisé pour les œuvres de peintres tels Rembrandt ou Le Caravage, dont les tableaux sont traités dans les tons foncés.

COLLE Solution gélatineuse, telle la colle de peau de lapin, qui permet de protéger le support.

COMPOSITION Organisation des couleurs et des formes.

COULEUR RABATTUE Terme utilisé dans la théorie chromatique pour décrire une couleur composée de deux couleurs secondaires. Celle-ci tend vers le gris. C'est également une technique : les couleurs sont appliquées par zones de peinture pure plutôt que fondues ou mélangées. Ces couleurs, au travers du regard du spectateur, créent de nouvelles teintes. La peinture peut être appliquée par petites touches discrètes, comme chez les pointillistes, ou déposée de manière que les couches initiales apparaissent sous les couches suivantes pour créer de nouvelles couleurs.

COULEUR SATURÉE Couleur pure, sans noir ni blanc, donc très intense.

COULEURS COMPLÉMENTAIRES Couleurs opposées sur le cercle des couleurs. Les couples de complémentaires sont l'orange et le bleu, le jaune et le violet, le rouge et le vert. Placées côte à côte, elles tendent à se mettre réciproquement en valeur. Le rouge semble plus riche à côté d'un vert.

COULEURS PRIMAIRES Couleurs qui ne peuvent être obtenues par mélange. Les primaires utilisées en peinture sont le rouge, le jaune et le bleu.

COUTEAU À PALETTE Couteau à lame d'acier droite, servant à mélanger les couleurs sur la palette ou à gratter la peinture sur le support.

COUTEAU À PEINDRE Couteau à lame fine et flexible, utilisé pour appliquer la peinture sur un support. Souvent équipé d'un manche coudé, il existe de nombreuses formes et dimensions.

TONALITÉ Degré de luminosité. Le ton d'une couleur est indépendant de sa nuance.

DILUANT Liquide – telle l'essence de térébenthine – servant à diluer la peinture. Il s'évapore complètement, et ne possède aucun pouvoir liant.

ÉBAUCHE Première étape de l'exécution, où les principales formes de la composition sont esquissées par de grandes zones colorées et tonales.

EMPÂTEMENT Peinture appliquée en couche épaisse, conservant la marque de la brosse ou du couteau. Initialement, il était parcimonieusement utilisé par des peintres comme le Titien ou Rembrandt. Plus tard, des artistes tel Van Gogh en exploitèrent les possibilités expressives, travaillant *alla prima* avec un pinceau ou un couteau chargés.

ESPACE NÉGATIF Espace entre et autour des principaux éléments du sujet : le fond d'une peinture par exemple.

ESQUISSE Dessin préliminaire, souvent exécuté au crayon, au fusain ou à la peinture.

FOND Le fond est la surface spécialement préparée pour recevoir la peinture à l'huile. Il a deux fonctions : isoler le support de la peinture, et offrir une surface agréable à travailler.

FONDU Technique mêlant des couleurs voisines, de telle façon que la transition entre elles soit imperceptible.

FRAIS (DANS LE FRAIS) Application de la peinture fraîche sur une surface qui n'a pas encore séché. Utilisée *alla prima*, cette technique permet de fondre les couleurs et les tons.

FRAIS (DANS LE SEC) Application de la peinture fraîche sur une surface entièrement sèche.

FROTTIS Peinture opaque et sèche brossée par-dessus les couches existantes, de façon que la couleur sous-jacente apparaît par endroits.

FUGACE Qualité des pigments qui pâlissent à l'exposition à la lumière.

GLACIS Application d'un film de couleur transparente sur une couleur plus légère ou opaque. Il est parfois utilisé pour modifier les couleurs soutenues.

LAVIS Application d'une peinture très diluée.

LIANT Substance liquide mélangée à un pigment en poudre pour créer une peinture. L'huile de lin est le liant le plus répandu, bien que l'huile d'œillette et l'huile de carthame soit parfois préférées pour les couleurs pâles. Le liant s'oxyde pour former un film dans lequel les pigments sont retenus en suspension.

MAIGRE Peinture à l'huile sans huile ajoutée, ou presque. La technique "gras sur maigre" consiste à appliquer une couche de peinture maigre (diluée à l'essence de térébenthine ou le white spirit), puis les couches suivantes, auxquelles on ajoute peu à peu de l'huile. Cette méthode limite le risque de craquelures au séchage.

MASQUE Ruban adhésif ou morceau de papier utilisé pour isoler une toile, afin de travailler plus librement le reste de la surface. Les masques permettent également de créer des formes. Un masque composé de deux morceaux de papier en "L" peut aider à mettre au point une composition. Il peut aussi être glissé

directement sur une étude préparatoire, pour sélectionner une partie de l'image particulièrement intéressante.

MÉDIUM Matériau utilisé pour peindre ou dessiner : aquarelle, crayon, peinture à l'huile… Le terme désigne également la substance liante ajoutée au pigment pour constituer la peinture. Par exemple, le médium de liaison de l'aquarelle est la gomme arabique, celui de la peinture à l'huile est l'huile de lin. Le terme s'applique également aux substances ajoutées à la peinture pour en modifier le comportement. Il existe des médiums traditionnels telle l'huile d'œillette, de copal, des vernis ou des médiums de marque comme le Win-gel, l'Oleopasto ou le Liquin.

MÉLANGE OPTIQUE DES COULEURS Création de nouvelles couleurs par mélange optique des pigments sur la toile plutôt que sur la palette. Les pointillistes posaient de petits points de peinture pure sur la toile, qui, regardés de loin, disparaissaient, donnant l'impression d'une couleur unifiée. Par exemple, des points rouges et jaunes produisent un orange.

MODELÉ Suggestion d'une image en trois dimensions par l'utilisation de différents procédés, dont les variations de ton.

MONOCHROME Peinture exécutée en noir et blanc, ou en noir et blanc et une autre couleur.

NUANCE Ce terme désigne le type de couleur, en référence au bleu, au rouge ou au jaune. 150 nuances peuvent être identifiées.

OPACITÉ Capacité d'un pigment à couvrir et obscurcir la surface ou la couleur sur laquelle il est appliqué.

PERSPECTIVE AÉRIENNE Utilisation de la couleur et de la tonalité pour indiquer l'espace et la profondeur. Les couleurs chaudes, les formes bien définies et les contrastes marqués apparaissent au premier plan du tableau, alors que les couleurs froides, les formes moins définies et les contrastes diffus semblent s'éloigner.

PLAN DU TABLEAU Plan vertical imaginaire représentant la surface de l'image.

PLANS Surfaces planes d'un objet. Les plans sont révélés par l'éclairage, et peuvent être analysés en termes d'ombre et de lumière. Une surface courbe peut être considérée comme une infinité de plans minuscules.

POINTILLISME Utilisation de points, en peinture, dessin ou gravure, au lieu de lignes ou d'aplats de couleur.

POUVOIR COLORANT Capacité de coloration d'un pigment et de transmission de cette couleur au blanc ou à un mélange. Plus le pouvoir colorant est élevé, moins il vous faut en ajouter à vos mélanges.

POUVOIR COUVRANT Qualité opaque ou transparente d'une peinture. Certaines peintures sont transparentes, et donc mieux adaptées au glacis, alors que les peintures opaques sont particulièrement adaptées aux zones de couleur dense, ou pour masquer une autre couleur.

PERSPECTIVE LINÉAIRE Création d'une illusion de profondeur sur une surface plane par le recours à des lignes convergentes et des points d'horizon.

SUPPORT Surface à peindre ou à dessiner, en toile, carton, Isorel ou papier.

VIROLE Collier métallique d'un pinceau qui maintient les poils.

Index

174

Remerciements

L'éditeur remercie toutes les personnes ayant contribué à
la préparation de ce livre, ainsi que tous les artistes, et en
particulier Ian Sidaway pour ses bons conseils et
l'utilisation de son studio, les Rowney, et enfin le
personnel de Langford et Hill Ltd. pour leur patience et
leur générosité quant au prêt du matériel et de
l'équipement.

Crédits photographiques

Artistes
p *30, 44, 47* (sauf *en bas à droite*), *48, 49* (*à gauche
et à droite*), *56-59, 68-71, 82-85, 94-97, 102-105, 106,
108-111, 124-127, 128, 130-133, 140, 143, 145,* Stan
Smith ; *p 47* (*en bas à droite*), *49* (*milieu*), *64-67, 76-79,
80, 90-93, 146, 150, 152-155, 162-165,* Ian Sidaway ;
p *45, 50, 52-55, 60-63, 72-75, 116-119, 134-137,*
Gordon Bennett ; p *86-89, 98-101, 138-139, 141, 144,*
Rosie Waites ; p *112-115, 162-165,* Lincoln Seligman ;
p *120-123, 156-161,* James Nairne.

Autres illustrations
p *8, 9, 11* National Gallery, London ; p *12* Collection
privée, London ; p *13* © DACS 1985 ; p *15* Museum of
Modern Art, New York ; p *17* John Wyand.